D1267799

# La couture
# de A à Z

Rita Simard

# La couture de A à Z

ÉDITION DU CLUB QUÉBEC LOISIRS INC.
© Avec l'autorisation de Les Éditions de l'Homme

Dépôt légal – Bibliothèque nationale du Québec, 1993
ISBN 2-89430-076-X
(publié précédemment sous ISBN 2-7619-1066-4)

*Merci à Nicole Bertrand*
*et à Marie-Claude Nadeau.*

# AVANT-PROPOS

Coudre aujourd'hui, pourquoi?

«En allant faire du lèche-vitrines dans les belles boutiques, le goût de coudre m'est revenu.» Voilà ce que me disait une de mes élèves quand son ardeur baissait. Le coût prohibitif des vêtements de qualité était pour elle la principale motivation à coudre.

En confectionnant nos vêtements, on réalise des modèles uniques, parfaitement adaptés à nos mesures et à notre personnalité. De plus, on peut agencer et multiplier ainsi les combinaisons de vêtements à volonté.

J'ai écrit ces quelques conseils sans prétention pour vous faciliter la tâche. Vous les retrouverez sous les rubriques classées par ordre alphabétique.

Il faut se rappeler que chaque opération en couture est importante pour obtenir un bon résultat. En ce qui concerne les débutantes, il est préférable de commencer par des pièces très simples afin d'acquérir graduellement de l'expérience.

Confectionner ses propres vêtements procure un immense plaisir, celui d'avoir accompli une œuvre inventive. C'est aussi une façon intelligente et économique de suivre la mode.

J'espère que ce livre répondra à vos attentes et que la couture deviendra pour vous un plaisir.

Après ces quelques considérations, il ne me reste qu'à vous souhaiter bonne chance et bon succès.

RITA SIMARD

## ACCESSOIRES

Pièces qui aident au fonctionnement de la machine à coudre ou qui augmentent son efficacité. Ce sont les pieds presseurs, les gabarits et guides... Consultez votre manuel pour les utiliser correctement, car chaque machine a ses particularités. Voir *Guide, Machine à coudre, Outils, Pied-de-biche.*
Les accessoires sont aussi les éléments qu'on ajoute à une tenue (sac, ceinture, souliers...) avec laquelle ils s'harmonisent par la couleur et la matière. C'est la touche finale qui met en valeur le vêtement. Les accessoires ne doivent pas attirer l'attention, car c'est la personne et son caractère qui doivent être l'intérêt principal.

## ACCROC

On répare un accroc avec quelques bouts de fil pris dans les valeurs de couture du vêtement. Rien n'en paraîtra si vous travaillez avec minutie, à la main, avec un bon éclairage et une loupe.

## AGRAFES

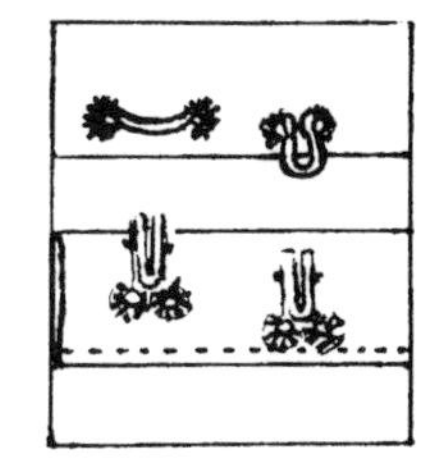

Utilisées pour fermer une encolure ou une ceinture de taille, elles se composent d'un crochet et d'une bride ou d'une ganse. Si vous utilisez une ganse, celle-ci doit dépasser le bord du vêtement. Si vous utilisez une bride, c'est alors le crochet qui dépasse légèrement, afin que les bords du vêtement se touchent parfaitement. Les œillets sont cousus par des petits points de surjet et du fil double. La tête du crochet est maintenue par quelques points en travers.

- L'anneau (ganse) en métal peut se recouvrir de fil de même couleur que le vêtement.
- La bride peut être faite seulement en fil; elle sera très courte et à plat.
- Le crochet peut traverser le tissu si on écarte les fils avec une aiguille à tricoter (revers à même).
- Une agrafe dont seul le bout dépasse peut être cachée sous la doublure.

## AIGUILLES

L'utilisation de l'aiguille remonte à la préhistoire. Tous les peuples ou presque ont utilisé le bois, l'os, l'ivoire, la corne ou les arêtes de poisson pour fabriquer des aiguilles et ils utilisaient le crin, les nerfs et les cheveux, pour en faire du fil. La première aiguille en acier fut fabriquée au XIVe siècle en Allemagne et fit son apparition un siècle plus tard en Angleterre. Les Chinois et les Japonais faisaient déjà de la broderie depuis longtemps. Les croisades (du Xe au XIIIe siècle) ont diffusé cette pratique dans toute l'Europe.

### *Aiguille de machine à coudre*

Elle est composée d'un talon (un côté plat et l'autre rond) qui rentre dans la machine, d'une tige à rainure, d'un chas et d'une pointe.

### *Aiguille manuelle*

Formée d'une tige mince, pointue à un bout pour perforer le tissu, elle est munie à l'autre extrémité d'un trou appelé chas, pour y passer le fil.

Ces deux types d'aiguilles sont faits en acier trempé, qui leur donne une bonne élasticité et les rend très lisses. Quelquefois, on procède à un revêtement d'or autour du chas pour protéger le métal contre l'oxydation. On fait varier la longueur des aiguilles selon le travail à exécuter.

### *Aiguilles courbes*

Numérotées de 11/2 à 3, pour tapis tressés, abat-jour, ameublement, etc. (Certaines ont des pointes aux deux bouts.)

### *Longueur des aiguilles de machine à coudre*

#### POINTUES RÉGULIÈRES

Numérotées de 9 (fines) à 18 (grosses), pour les tissés mais pas pour la laine. Vous pouvez utiliser des aiguilles jumelées pour les surpiqûres.

#### À POINTE RONDE

Numérotées de 9 à 16. Ne percent pas le tissu, elles s'insèrent entre les fils. Pour tissu fin, tricot, laine et synthétique.

#### À POINTE CONIQUE

Numérotées de 11 à 18, à pointe tranchante, pour les cuirs et les vinyles, elles percent sans déchirer le tissu.

### *Longueur des aiguilles manuelles pour la couture courante*

#### À POINTE ARRONDIE

Numérotées de 5 à 10, pour les tricots.

D'AVEUGLE

Numérotées de 4 à 8, à chas ouvert, pour enfilage facile.

DE COUTURIÈRE

De longueur moyenne, chas rond, conviennent à la majorité des travaux. Numérotées de 1 à 12, pour tous les tissus, courtes pour la finition.

DE MODISTE

Les plus longues de toutes, numérotées de 3/0 à 12, utiles pour faufiler.

DE TAILLEUR

Mi-longues, numérotées de 1 à 12, elles permettent des points fins dans du tissu épais.

### *Longueur des aiguilles pour la broderie et la tapisserie*

À BRODER

Numérotées de 1 à 10, pointues, de longueur moyenne, à long chas.

À PERLER

Numérotées de 10 à 15, minces et longues, pour perles et paillettes.

À TAPISSERIE

Numérotées de 13 à 26, à forte tige et à pointe émoussée pour petits points ou passe-brins.

CHENILLES

Numérotées de 13 à 26, pointues, à forte tige, utilisées pour la laine.

## *Longueur des aiguilles pour le reprisage*

À COTON

Numérotées de 1 à 9, pour fil fin ou soie floche.

À COTON, LONGUES

Numérotées de 5/0 à 9, pour les plus grandes reprises.

À LAINE

Numérotées de 14 à 18, longues et lourdes, pour repriser la laine.

## *Longueur des aiguilles spécialisées*

À CUIR

Numérotées de 3/0 à 8, courtes, à chas rond et à pointe triangulaire, pour cuir et plastique.

À TOILE, À VOILE

Numérotées de 14 à 17, plus fortes, pointe triangulaire plus longue pour canevas très épais.

## REMARQUES

Les aiguilles à long chas permettent d'utiliser du fil plus épais ou plusieurs brins.

Pour les aiguilles de machine à coudre, plus le numéro correspondant est élevé, plus l'aiguille est grosse.

C'est le contraire pour les aiguilles manuelles, plus le numéro correspondant est élevé, plus l'aiguille est fine.

Les aiguilles doivent toujours être en bon état et pointues (jamais courbées, rouillées, oxydées ou ébréchées).

Les points irréguliers, trop allongés, sautés ou le bris d'un fil sont souvent causés par des aiguilles épointées. Celles-ci peuvent aussi abîmer le tissu, ce défaut n'apparaît qu'à l'usage du vêtement.

Changez fréquemment d'aiguille, le coût étant minime par rapport à la valeur du vêtement.

Vérifiez si votre aiguille est adaptée à l'épaisseur du tissu employé; trop fine, elle courbera ou cassera. Elle pourrait même endommager la plaque glissière ou le porte-canette. (Ces pièces sont très coûteuses.)

Si vous n'en avez pas de nouvelles, piquez les aiguilles épointées ou rouillées dans la laine d'acier ou encore utilisez-les pour coudre sur du papier de verre, ce qui les aiguisera.

Si vous avez du mal à enfiler vos aiguilles, utilisez des aiguilles à long chas, des aiguilles d'aveugle à chas ouvert, ou simplement mettez un papier blanc derrière votre aiguille. Voir *Enfile-aiguille*.

Lorsqu'on s'est piqué le doigt en cousant et que l'on a taché le tissu de sang, il suffit d'un peu de salive pour tout faire disparaître.

## AISANCE

Surplus de tissu laissé au vêtement pour donner plus de liberté aux mouvements.

### *Pour une blouse ou une robe*

À la poitrine: ajoutez 10 cm à la mesure réelle.

Aux hanches: ajoutez 7,5 cm à la mesure réelle.

### *Pour une surblouse*

Laissez 3,75 cm de plus que la jupe à la même hauteur.

- Si vous avez tendance à prendre du poids, prévoyez des valeurs de couture plus larges pour pouvoir agrandir facilement le vêtement.
- Les personnes maigres ont besoin de plus d'aisance que les personnes rondes.

L'aisance est aussi la différence entre les mesures du tissu et celles du corps. L'aisance varie selon les modèles, les modes, les tissus et les goûts. Elle change également selon votre perception de la mode et du confort.

Pour une jupe: 1/20 du tour de hanche.

Pour une robe-chemisier sans manches: 1/20 du tour de poitrine ou plus.

Pour une robe-chemisier avec manches: 1/10 du tour de poitrine.

Pour un manteau: 1/5 du tour de poitrine et de hanche.

## AJUSTAGE

Une fois toutes les pièces assemblées, et après l'essayage, l'ajustage consiste à faire les modifications nécessaires. Si on a déjà des modifications au patron au préalable, il ne devrait pas y avoir de nombreuses retouches à faire. Voir *Essayage du vêtement.* Un vêtement ou une partie de vêtement est dit ajusté lorsqu'il est moulé au corps par des pinces ou des découpes. Voir *Ligne.*

## AMBIANCE

Une ambiance favorable permet de travailler avec joie et nécessite une préparation. Il est préférable de s'installer dans une pièce bien éclairée, la meilleure lumière étant celle du jour. Toutefois, un éclairage artificiel bien dirigé peut convenir. De plus, il faut choisir un moment propice, par exemple attendre que les enfants soient couchés ou à l'école.

## AMINCIR (SYNONYMES: ÉTAGER, BISEAUTER LES COUTURES)

La couture terminée, il est recommandé de raser de moitié et de décaler les épaisseurs des valeurs de couture, des doublures et des entoilages afin d'en diminuer l'épaisseur. Toutefois, il faut garder le morceau le plus large du côté du vêtement et ce, en particulier pour les pièces rabattues.

## APLOMB

Un vêtement est dit d'aplomb quand il recouvre le corps sans produire de faux plis ni gêner les mouvements.

## APPLIQUÉS

Sur les vêtements, on peut faire ses propres créations et y appliquer des motifs décoratifs que vous appliquerez soit pour dissimuler une tache ou un accroc, ou encore simplement pour enjoliver les vêtements. Ces motifs sont fixés avec des autocollants ou des points de broderie si les bords sont préfinis. Pour les appliqués non finis, prévoir une valeur de couture (marge de sécurité) que l'on repliera en faisant boire l'embu. Les motifs sont fixés à la machine ou à la main, à points cachés.

## ARRÊT (DU FIL)

Après avoir fini une couture à la main et pour arrêter le fil, on refait deux à trois points vers l'arrière (à l'envers du tissu) l'un sur l'autre ou encore on tient le fil avec le pouce et on glisse l'aiguille pour faire un nœud qu'on coupera.
Pour terminer une couture à la machine, on commence et on termine par trois points arrière. On dégage le tissu en le tirant vers l'arrière afin de ne pas tordre l'aiguille.

## ASSEMBLAGE DES COUTURES

### *Assemblage ou montage d'un vêtement*

Il faut respecter un certain ordre lors de l'assemblage et, de plus, il est recommandé de laisser le vêtement à plat le plus longtemps possible afin de faciliter le travail. L'assemblage consiste donc à joindre les pièces du vêtement en faisant coïncider les points de repère d'une façon permanente ou temporaire.

### *Pour un corsage*

Cousez les épaules, montez le col ou finissez l'encolure, montez les manches ouvertes puis cousez les latérales en continuant avec les coutures du dessous des manches.

### *Pour une jupe*

Commencez par les détails (poches) puis assemblez le devant et le dos, enfin bâtissez les côtés pour pouvoir essayer avant de coudre définitivement.

- Pour faciliter la manipulation lors du piquage, placez toujours la plus grande partie du tissu à gauche et non sous la tête de la machine.
- Pour obtenir un meilleur résultat, repassez chaque couture avant d'en coudre une autre.

### *Pour un tissu de soutien*

La triplure se pose en même temps que le tissu (coudre comme une seule pièce) dans les tissus légers. Drapez sur un coussin de tailleur ou un journal épais en plaçant la triplure dessous et le tissu dessus, lissez, épinglez puis faufilez (médiane sur le bord arrondi) pour une bonne mise en place avant d'assembler à la machine.
Dans le cas d'un tissu plus épais, il est préférable de fermer séparément les pinces et de les presser. Assemblez envers contre envers, faufilez ensemble au point de bâti. Continuez le travail comme s'il n'y avait qu'une seule épaisseur.

## ATTACHES

Ce sont les différents moyens utilisés pour attacher ou fermer un vêtement (lien, courroie, cordon, chaîne, agrafe, bride et bouton, ruban...). Voilà des solutions de remplacement tout aussi utilitaires et parfois plus décoratives que les boutons, et qui facilitent la tâche à celles qui n'aiment pas faire des boutonnières.

## BAGUER

Ce terme signifie maintenir un entoilage au tissu. À l'aide de points de bâti obliques et longs, on fait des points permanents, invisibles sur l'endroit du tissu. Voir *Bâti, Entoilage, Point de chevron.*

## BALEINE

On appelle ainsi une lame ou une tige flexible en métal ou en matière plastique servant à renforcer et à tendre un tissu. On parle par exemple d'un bustier à baleines.

## BANDES DE PAPIER D'EMBALLAGE

Il est très utile d'en avoir sous la main. On les place sous les plis, les pinces et les valeurs de couture. Lors du pressage, elles permettent d'éviter de marquer le tissu (à cause des épaisseurs) sur l'endroit.

## BÂTI

Assemblage provisoire qui permet un premier essayage. On fait correspondre les extrémités, les repères et les bords (endroit sur endroit) à l'aide de point de faufil ou bâti.

### *Bâti à la machine*

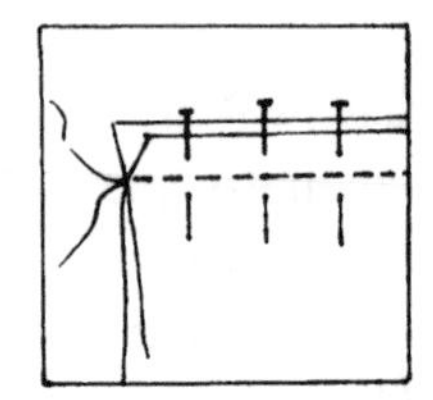

Point le plus long (4 mm), sans point d'arrêt, pour vêtements amples et simples. On peut retenir le tissu simplement avec des épingles et coudre directement dessus.

### *Bâti à la main*

Point devant, de 0,5 cm à 1 cm de long. Faites au début et à la fin un ou deux points l'un sur l'autre ou faites un nœud.

### *Bâti à point de bourdon*

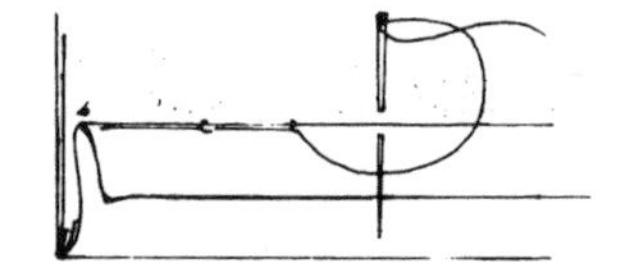

Entre la parementure et le devant d'un veston (point de bourdon classique), laissez de 2,5 cm à 5 cm entre les points (fil lâche); travaillez de gauche à droite.

### *Bâti à point de chausson*

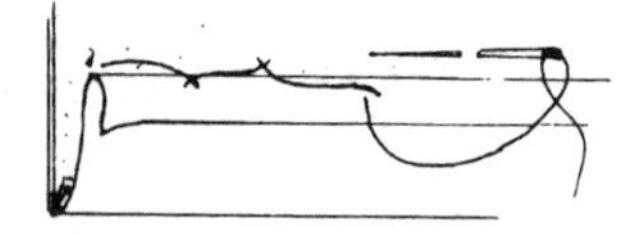

Il ressemble au point ourlet invisible, mais largement espacé, 1,25 cm à 2,5 cm environ (fil lâche). Travaillez de gauche à droite.

### *Bâti coulé*

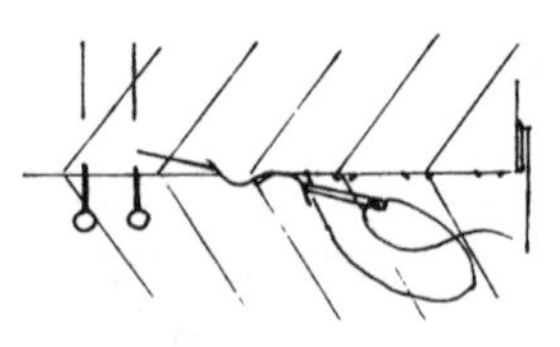

C'est un bâti temporaire, servant à raccorder avec précision, entre autres, les rayures, les carreaux, les imprimés dans les courbes complexes, ou encore il sert à marquer sur l'endroit les corrections lors de l'essayage. Faites coïncider les motifs le long de la couture; faites des points de 6 mm dans la section dessous puis remontez dans le pli supérieur (6 mm) en enlevant les épingles au fur et à mesure.

*Bâti extra fort*

Très résistant, pour la finition d'un vêtement lourd, il se fait de bas en haut (petits points dans l'entoilage et la parementure). Répétez les points sans tendre le fil.

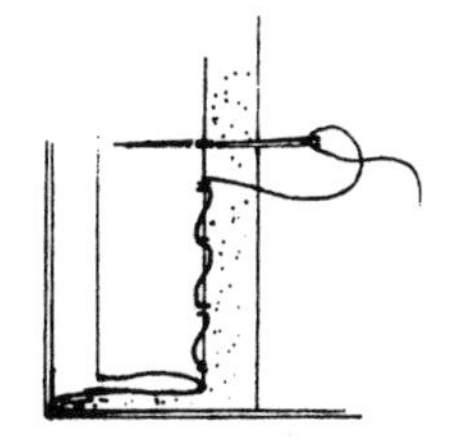

*Bâti irrégulier*

Point temporaire long mais séparé par de courts espaces; on l'utilise là où il y a moins de tension.

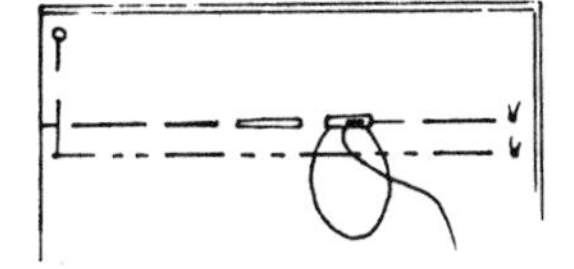

*Bâti long point caché*

C'est un point à ourlet invisible, mais plus espacé, et qui s'emploie pour les tissus légers. Il se fait de droite à gauche.

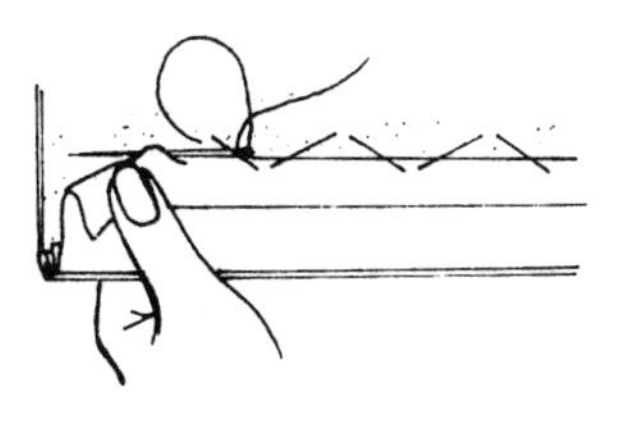

*Bâti oblique*

Pour retenir ensemble les épaisseurs de tissu pendant la confection et le repassage.
Le petit bâti est plus rapproché et retient la lisière de couture à plat. Le long bâti retient la triplure au vêtement pendant la confection.

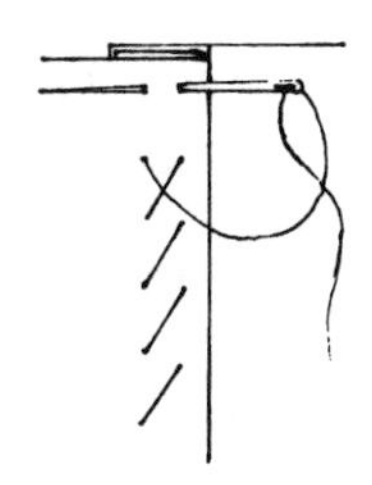

*Bâti régulier (ou faufil)*

Point temporaire court (6 mm environ), de droite à gauche en ramassant sur l'aiguille plusieurs points réguliers. Utilisé quand le tissu est lisse et s'il y a tension à l'essayage.

## BATTOIR DE TAILLEUR

Voir *Planches*.

## BIAIS (SYNONYMES: FRANC BIAIS, PLEIN BIAIS)

Le biais sert de finition, il se travaille bien au fer et prend la forme qu'on veut lui donner sans faire de faux plis autour d'une partie arrondie. Mettez en forme avant la pose sur le vêtement. Le biais est employé comme finition et a, en général, une largeur de 1,5 cm; on l'emploie également comme garniture.

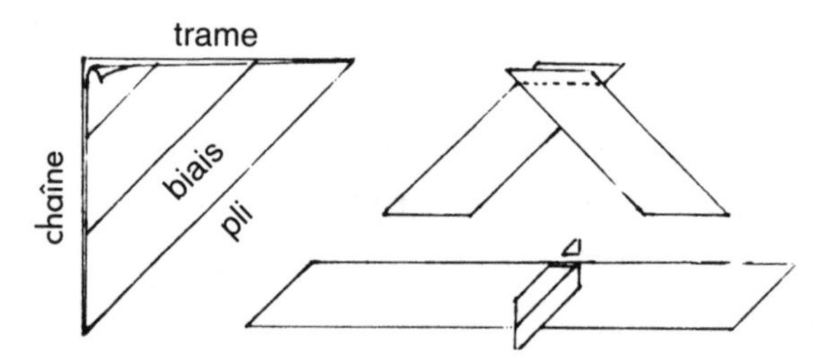


- C'est sur le biais que le tissu s'étire le plus. Il faut donc toujours le presser dans le sens du droit fil (donc en diagonale pour une jupe en biais). Toutefois pour que le vêtement garde sa souplesse, il faut le presser très légèrement.
- Le plein biais est la ligne diagonale à angle droit obtenue lorsque les fils de trame sont dirigés sur la ligne de chaîne.

- Assemblez toujours un biais en droit fil. Cousez, ouvrez au fer puis coupez ce qui dépasse.

*Biais gansé*

Afin de donner à votre encolure une finition décorative en la bordant, employez une ganse (cordon très souple) à l'intérieur d'un biais. Piquez-la sur le vêtement et recouvrez-la d'une parementure. Utilisez le pied ganseur ou à fermeture éclair pour ce travail.

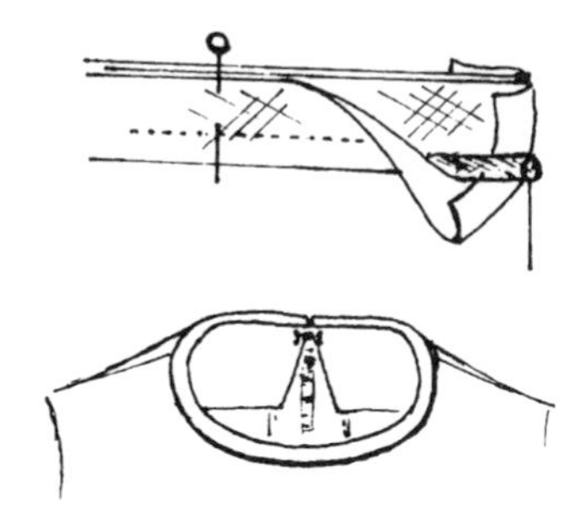

## BON TEINT

Pour savoir si un tissu déteindra au lavage, cousez une retaille sur un morceau de coton blanc. Laissez tremper 24 heures dans un verre d'eau froide puis vérifiez si le coton blanc est taché.

## BORDS (VOIR *OURLET*)

Afin de donner une belle touche de finition à un vêtement non doublé et pour cacher les coutures et les bords, utilisez le biais, les galons (droit fil), les ganses (ligne droite seulement), les tresses, ou les dentelles. Remarque: Pour stabiliser et éviter tout rétrécissement au lavage et au repassage, il est toutefois préférable de tremper les bords dans l'eau froide, ou de les repasser avec une pattemouille très humide. Dans les coins il se formera alors un petit pli. Pressez-le au fer, épinglez et piquez.

## BOUTONNIÈRE

### *Différents types de boutonnières*

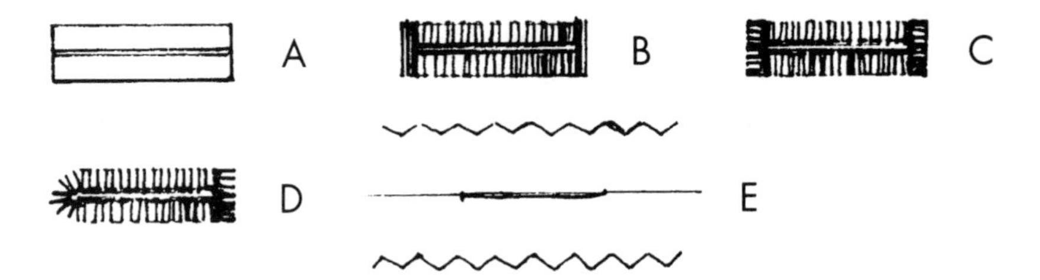


Boutonnière bordée (A), dite boutonnière française passepoilée ou à pièce unique. Boutonnière brodée à la machine (B), à la main (C), et confection à œillet (D). Boutonnière dans une couture (fente) (E).
Choisissez celle qui convient au modèle du vêtement, au tissu et à votre dextérité.

### *Emplacement des boutonnières*

Il est très important qu'elles soient de même largeur, et à espacement régulier.

- Sur les vêtements de femmes, elles sont à droite quand l'ouverture est devant et à gauche au dos.
- Indiquez-en le tracé sur les deux côtés, de façon à ce que les deux lignes se superposent une fois le vêtement fermé.
- Les trois emplacements clés des boutonnières sont l'encolure, la taille et la partie la plus forte de la poitrine. Le premier bouton sous un col châle ou tailleur est aussi très important. Les autres boutonnières sont réparties entre les précédentes, la dernière boutonnière étant au-dessus de l'ourlet.

*Boutonnière bordée*

Convient aux vêtements tailleur mais pas aux tissus diaphanes ou délicats: elle est plus épaisse et se verrait davantage.

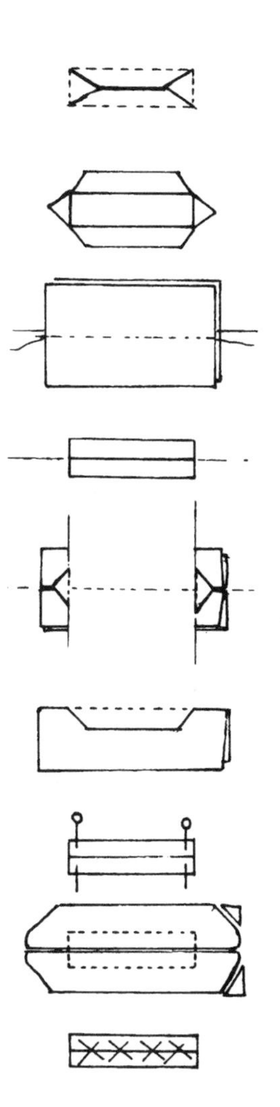

- Pour faire ce genre de boutonnière dans un vêtement de velours, il est préférable d'utiliser du satin ou de l'organza pour faire les lèvres, ce sera plus joli et plus solide.
- Pour empêcher les boutonnières bordées de s'effilocher, posez un morceau de thermocollant sur l'envers de la pièce.
- Vous pouvez border avec un gros grain les boutonnières de fourrure ou similifourrure.
- La boutonnière doit être assez longue pour laisser passer le bouton, mais ne doit pas permettre au vêtement de s'ouvrir. La longueur de la boutonnière est déterminée par le diamètre du bouton plus deux fois l'épaisseur du tissu.
- Il serait trop long de donner dans ce petit livre la définition de boutonnière à bandes rajoutées, il vaut mieux vous référer aux explications de votre patron et les suivre avec attention. Faites-en des échantillons au préalable, sur une chute de tissu, avec toutes les épaisseurs (tissu, entoilage, triplure) du vêtement.

### *Boutonnière brodée machine*

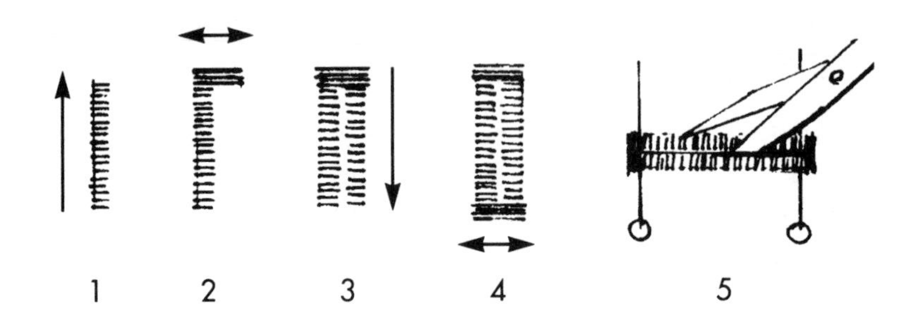


Ne coupez cette boutonnière qu'à la fin. Coupez délicatement avec de petits ciseaux bien aiguisés, sans toucher aux points. Afin de protéger les extrémités, placez deux épingles droites avant de couper.

- Suivez les différentes étapes dans le manuel d'instruction de votre machine à coudre.
- Utilisez du fil à broder à la machine (retors d'Alsace ou brillanté d'Alsace DMC nº 30).
- Marquez l'emplacement sur l'endroit du tissu au faufil, à la craie ou au crayon.
- Pour réussir cette boutonnière sur tricot, collez-y un collant transparent. Marquez la dimension sur ce ruban et le pied ne glissera pas. Vous n'abîmerez ainsi ni votre machine ni votre tissu, car vous avez éliminé tous les problèmes de dérapage. Enlevez ce qui dépasse.

### *Boutonnière brodée main*

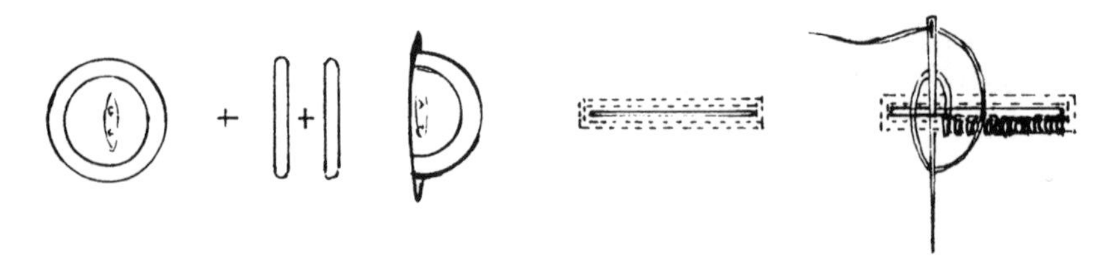

Pour ce genre de boutonnière, on ajoute au diamètre du bouton, l'épaisseur du tissu plus 3 mm aux deux extrémités. Il faut couper la fente avant de broder.

- Vérifiez en glissant le bouton dans la fente. Commencez par broder une boutonnière sur un échantillon de tissu avec triplure, entoilage... pour voir le résultat puis faire les modifications qui s'imposent.
- Avant de broder il est préférable de passer un fil (à la main ou à la machine) sur le pourtour de la boutonnière pour en maintenir les épaisseurs. Indiquez aussi la largeur du point (2 mm à 3 mm).
- Brodez les deux lèvres au point de feston ou de boutonnière avec des brides à chaque bout, ou avec une bride et un bout arrondi (du côté du bord du vêtement).
- Travaillez de droite à gauche, avec du fil de la même couleur que le tissu.
- Si les bords s'effilochent, vous pouvez appliquer du vernis à ongles incolore avant de faire les points.

BOUTONNIÈRE HORIZONTALE

C'est la plus utilisée. Elle est placée 3 mm plus loin que le bouton.

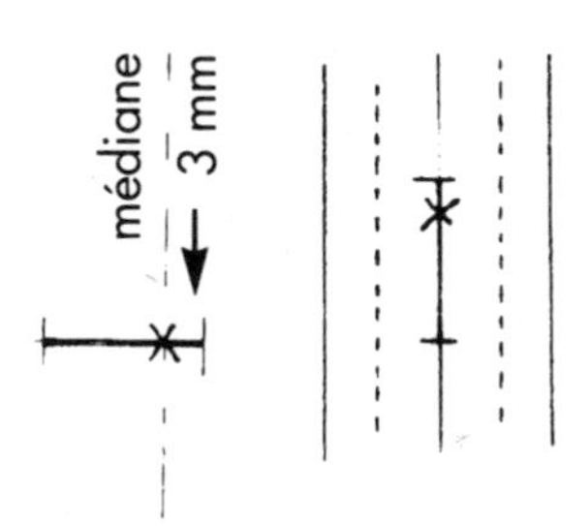


BOUTONNIÈRE VERTICALE

Elle est utilisée sur les pattes étroites (chemise d'homme); sur la ligne d'emplacement du bouton, située à 3 mm au-dessus au centre du bouton.

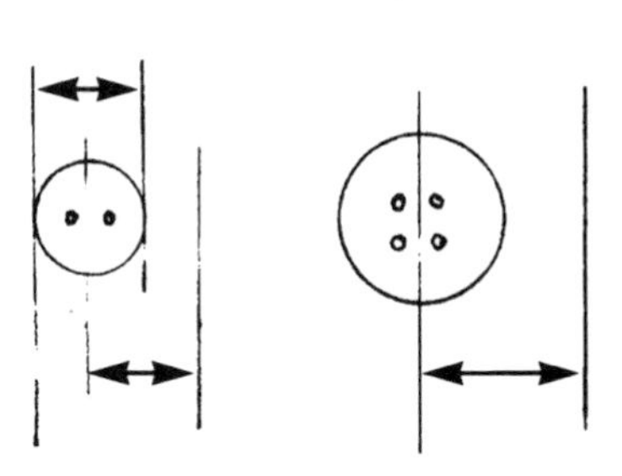

- Si vous changez la grosseur du bouton, il faut modifier la distance séparant le milieu du bouton et le bord du vêtement. Cette distance sera égale ou légèrement inférieure au diamètre du bouton.

REMARQUES

Quand vous faites des boutonnières, commencez par le bas. Vous les réussirez mieux ainsi, car celles du haut sont plus apparentes.

Une mauvaise boutonnière peut enlever à un vêtement tout son chic. Il sera donc utile de vous exercer avant.

Avant de presser, faufilez les boutonnières fermées.

Sur un tissu cousu en biais, faites la boutonnière droit fil; elle sera ainsi oblique.

## BOUTONS

### *Choix du fil*

Utilisez un fil spécial à bouton (en soie), plus solide que le fil utilisé pour l'assemblage du vêtement, ou encore un fil double épaisseur que vous passerez à la cire d'abeille pour l'empêcher de vriller.

### *Emplacement*

Les boutons se posent habituellement sur la ligne médiane du devant ou du dos.

## *Pose de bouton à plat*

On ne pose un bouton sans tige que dans un but purement décoratif ou lorsque le tissu est très léger.
Les boutons à deux ou à quatre trous se posent avec tige et grâce à cette tige, le vêtement se fermera mieux. La longueur de la tige est égale à l'épaisseur du vêtement plus 3 mm.

## *Pose de bouton à tige*

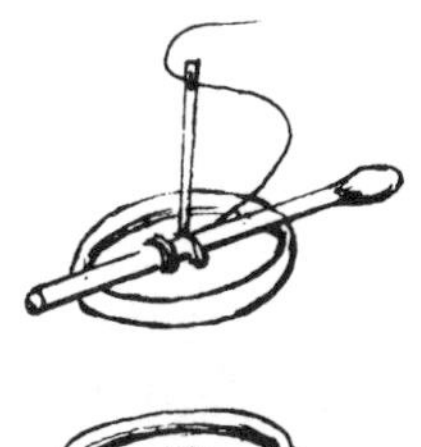

Fixez le fil à l'emplacement du bouton, passez l'aiguille à travers un trou du bouton puis couchez un bâtonnet ou une allumette. Descendez ensuite l'aiguille dans le second trou et ainsi de suite. Enlevez l'allumette, soulevez le bouton pour tendre les fils et enroulez le fil autour pour former la tige. Fixez à points arrière.

- Vous pouvez vous procurer dans le commerce un instrument calibreur pour remplacer l'allumette, ou encore tailler des cartons de différentes épaisseurs que vous placerez entre le bouton et le tissu pour calculer avec plus de précision l'épaisseur requise.

AUTRE MÉTHODE

Faites un point de fixation sur le tissu. Placez le tissu sur votre index gauche. Retenez avec le pouce le bouton contre le tissu, créant un écart de sa marque. Cousez en conservant cet écart. Soulevez le bouton. Enroulez le fil pour former la tige. Fixez.

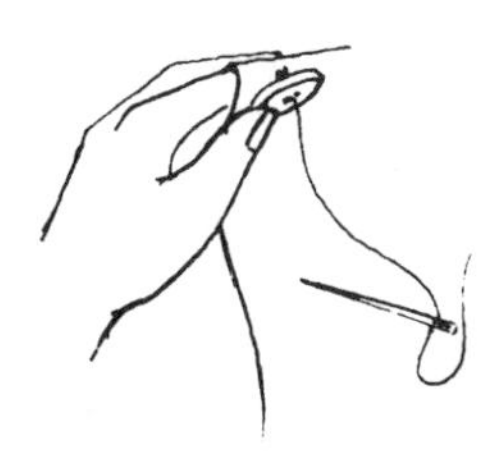

## *Pour ajouter un bouton de renfort*

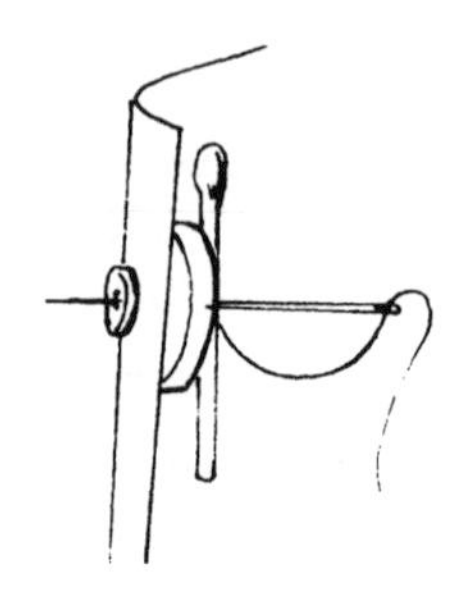

Utilisez deux boutons ayant le même nombre de trous, et cousez ces deux boutons ensemble dans une même opération. Pour un renfort de bouton dans un tissu léger, utilisez un carré de tissu tissé plus serré en double épaisseur.

## *Pour coudre un bouton rapidement*

Pliez votre fil en deux, passez l'extrémité pliée dans le chas, ce qui donne quatre fils au lieu de deux, vous aurez ainsi deux fois moins de points à faire. Faites un nœud coulant pour retenir le bouton afin de ne pas avoir de nœud sous le vêtement.

## *Boutons à quatre trous*

Ils se posent de différentes façons: en croix, en carré ou en deux lignes parallèles. Les boutons à quatre trous tiendront plus longtemps ce qui est utile pour les vêtements d'enfants.

 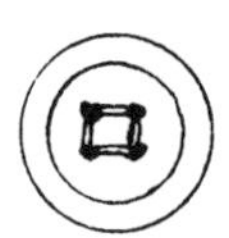 

## *Boutons à queue*

Vous n'avez pas besoin de faire une tige pour ces boutons, à moins que le manteau sur lequel vous l'avez fixé soit très épais. Si la tige est de métal, utilisez du fil de chèvre (*Button Hole Twist*) ou du fil plus solide que vous passerez à la cire d'abeille.

### *Boutons chinois*

Vous pouvez les acheter déjà faits ou les faire vous-même et, dans ce cas, utilisez un cordonnet de 5 mm pour bouton de 1,25 cm et de 1 cm pour bouton de 2,5 cm.
Resserrez graduellement les nœuds en leur donnant la forme d'une balle. Rasez les bouts de biais et cousez sur l'envers du bouton.

### *Boutons fabriqués avec un anneau*

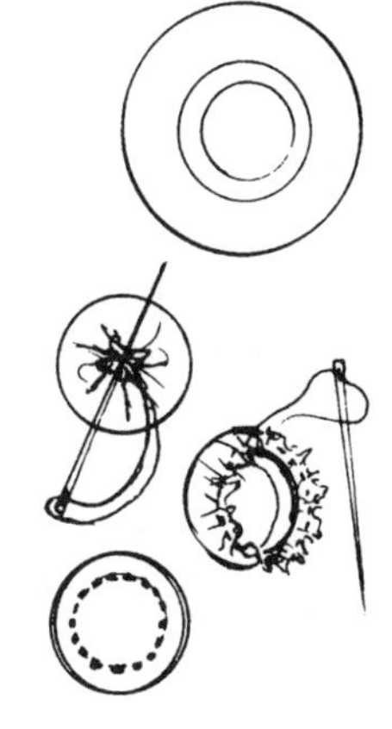

Taillez le tissu deux fois plus grand que le diamètre de l'anneau. Faites des points à froncer sur le pourtour. Fermez complètement en fronçant. Fixez à points d'arrêt. Décorez avec un point arrière près de l'anneau.

### *Boutons jumelés*

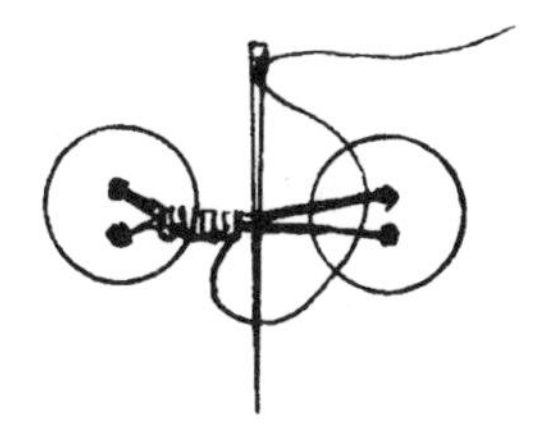

Pour servir de boutons de manchettes. Espacez les deux boutons de la distance désirée. Passez le fil à travers les deux boutons deux ou trois fois. Faites une bride d'arrêt avec des points de feston ou de boutonnière.

### *Boutons recouverts de tissu*

Vous trouverez de nombreux nécessaires dans le commerce; suivez-en les instructions.

REMARQUES

Pour remiser les boutons qui forment un ensemble, ou qui sont du même modèle, on peut les enfiler sur une cordelette nouée par une boucle facile à défaire.

Pour les petits boutons, il suffit d'une épingle de sûreté pour les garder ensemble.

Si vous en avez beaucoup, groupez vos boutons par couleur dans des petits sacs de plastique.

## BOUTONS «EMBOUTIS»

Ces boutons se posent à l'aide d'un marteau. Suivez le mode d'emploi indiqué sur l'emballage. Convient à toutes celles qui n'aiment pas poser des boutons.

## BOUTONS-PRESSION

En métal noir pour tissu foncé, argentés pour les couleurs claires. Marquez bien l'emplacement pour que la partie renflée puisse rentrer parfaitement dans la partie creuse. Passez plusieurs fois le fil dans les perforations avec des points de surjet ou de feston.

- Il existe aussi des boutons-pression recouverts de soie de différentes couleurs pour les endroits visibles.
- Il en existe aussi en plastique transparent.

## BRANDEBOURG (VOIR *BRIDES*)

Pour une allure très particulière, on les utilise par paire: l'un porte la bride d'attache, l'autre est cousu au bouton chinois.

### *Confection*

Dessinez le modèle sur papier. Placez l'extrémité au centre. Épinglez le cordonnet, la couture devant être visible. Fixez les croisements à points roulés. Placez sur le vêtement en laissant dépasser une boucle. Fixez par des points coulés. Faites de même pour le second brandebourg sur le côté opposé du vêtement sans le dépasser.

## BRIDES

### *Brides brodées*

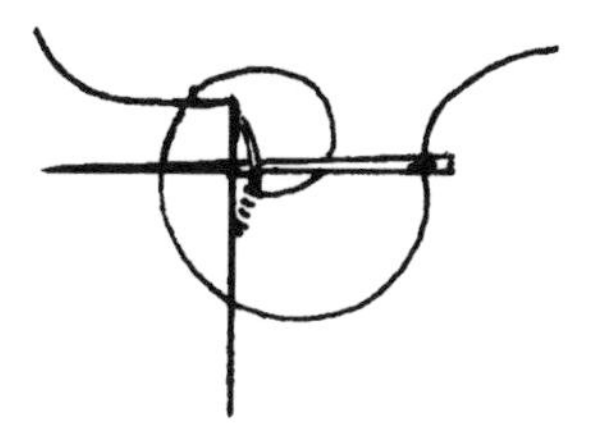

On les utilise sur des tissus légers ou sur des tissus qui s'effilochent. Ces brides servent à remplacer la bride de métal lorsque le bouton est trop petit. La grosseur du bouton définit la grosseur de la bride. Commencez à l'intérieur de la couture du bord. Lancez deux ou trois fois les fils et, sans serrer, ajustez sur le bouton. Maintenez ensemble en faisant des points de feston juxtaposés. Arrêtez sur l'envers.

### *Brides en tissu*

Taillez chaque bande en biais de la longueur nécessaire. Pliez en deux, endroit contre endroit, cousez en étirant pour garder l'élasticité du biais tout en laissant les bouts ouverts, avec une grosse aiguille, fixez un nœud coulant à l'un des deux bouts et glissez l'aiguille par le côté chas au travers du biais replié, puis faites sortir l'aiguille et tirez pour retourner. On peut aussi se servir d'un passe-lacet ou d'une aiguille à tapisserie. Aplatir à la vapeur en étirant. Épinglez humide et laissez sécher deux ou trois heures.

### *Comment coudre les brides gansées dans la parementure*

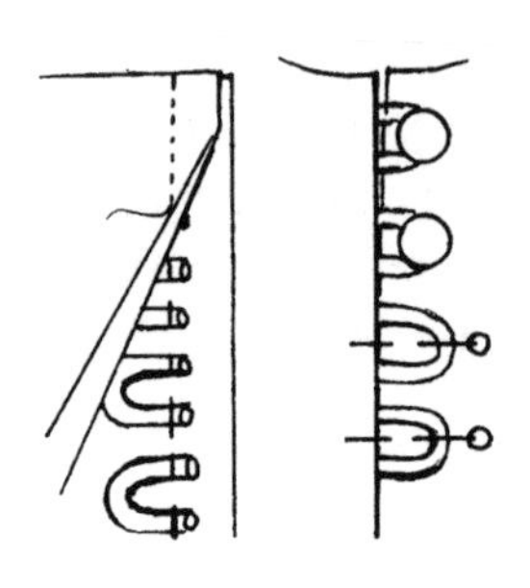

Espacez et cousez à la main les brides gansées puis piquez à la machine sur l'endroit du tissu. Endroit sur endroit, cousez la parementure sur le bord. Retournez et pressez. Marquez l'emplacement des boutons sur l'autre côté avec des épingles et cousez-les. N'oubliez pas la tige de l'épaisseur de la bride et assurez-vous que l'espacement soit juste.

### *Façon sportive, avec appliqué qui retient la bride*

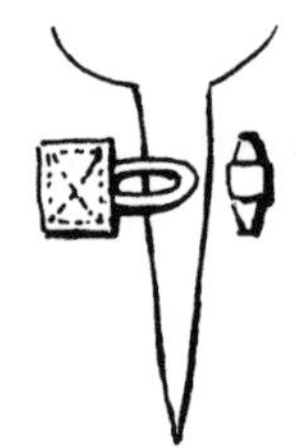

- Vous pouvez entoiler la parementure pour plus de solidité.
- Vous pouvez aussi coudre une longue bride et la couper ensuite à la longueur voulue.
- Vous pouvez acheter de la soutache très fine dans une bonne mercerie et vous en servir comme bride.
- Vous pouvez vous servir d'une bride (en biais) appelée familièrement «queue-de-rat» pour réaliser des liens que vous nouerez pour fermer un vêtement. On terminera ces liens par des petits nœuds.

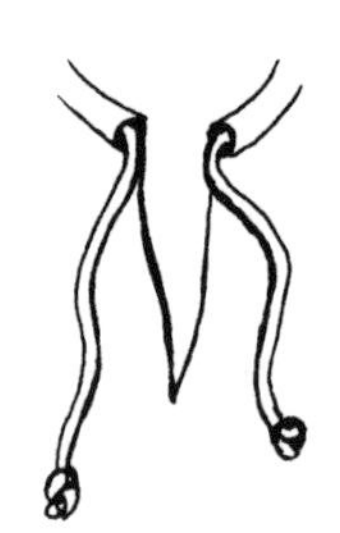

## **BRODERIE**

Art de produire des motifs ornementaux (lettre, dessin) à l'aide d'une aiguille et de fil en utilisant une variété de points sur une étoffe. Ces motifs peuvent aussi s'exécuter avec certaines machines à coudre perfectionnées.

## **BUSTE** (POITRINE)

### *Pour agrandir* (GROS BUSTE)

Coupez le patron au centre des pinces. Prenez garde de ne pas agrandir les épaules et la taille si ce n'est pas nécessaire.

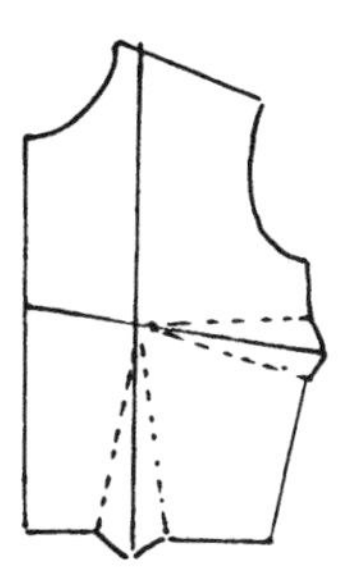

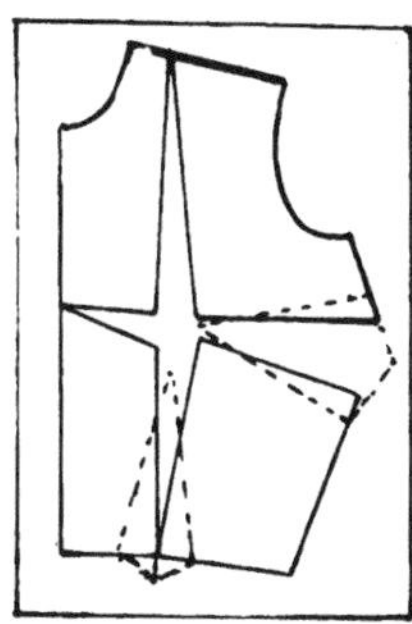

### *Pour diminuer* (PETIT BUSTE)

Diminuez la largeur des pinces (tout en conservant la même longueur). Pliez le patron dans la pince en finissant à rien. Retaillez le patron, plis fermés.

- Le buste doit être dégagé afin que le vêtement ne paraisse pas étriqué.

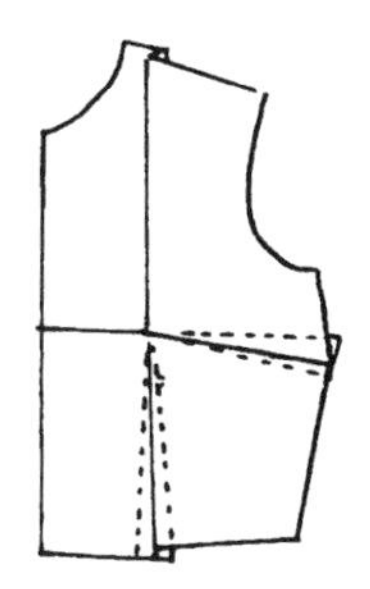

### *Pour une poitrine plate*

Faites un pli horizontal à la hauteur du sous-bras (cela diminue la longueur du corsage devant) en finissant à rien.

- L'aisance du buste pour une robe et une blouse sera de 10 cm.
- Les pinces du buste doivent se terminer à 2,5 cm plus bas que la pointe réelle du buste.

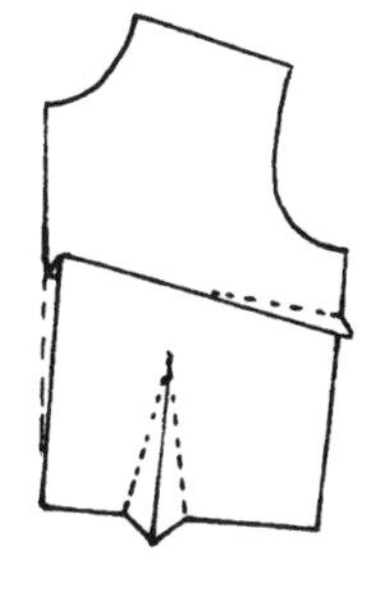

- Il est très important de vérifier si votre hauteur de buste correspond à celle du patron.

## BUSTIER

Comment faire pour ajuster parfaitement une robe sans bretelles? Sur l'envers avec du fil, faire des tiges dans chaque creux et dans chaque courbe, dans lesquelles vous passerez un élastique étroit. Vous terminerez par une agrafe, face à l'ouverture du bustier. Tout le bustier devrait être bien ajusté sur la personne. Voir *Baleine*.

## CAMOUFLAGE

Art de dissimuler certains défauts physiques en créant une illusion d'optique. Voir *Illusion d'optique*.

## CARBONE DE COUTURIÈRE

Papier carbone de différentes couleurs, utilisé pour reporter les tracés d'un patron sur l'envers d'un tissu à l'aide d'une roulette à tracer.

## CEINTURE

Pour entoiler une ceinture de jupe, vous pouvez vous servir de ruban cordé de la largeur voulue. (Lavez-le, séchez-le, pressez-le avant de l'utiliser.)

*Confection d'une ceinture de jupe ou de pantalon*

- La ceinture droite ne doit pas dépasser 5 cm de largeur.
- Déterminez l'emplacement exact de la ligne de taille à l'essayage.

- Placez un galon ou lacet autour de la taille pour maintenir la jupe ou le pantalon en place.
- Tirez la ligne de taille avec une craie.
- Sur le galon, marquez au crayon les repères des milieux (dos et devant) et des côtés (gauche et droit), ce qui donne la mesure exacte de la taille.
- La jupe doit comporter une certaine ampleur de plus que la ceinture. On fera boire cet embu (voir *Embu*) pour permettre de s'asseoir sans que la jupe tire.
- Déterminez l'emplacement de l'ouverture (devant, dos, côté) et du croisement pour les attaches (bouton et boutonnière, agrafe et bride...).
- Voir *Élastique*.

*Préparation de la ceinture*

- Taillez une bande de tissu sur la lisière, correspondant à deux fois la largeur désirée et ajoutez les deux valeurs de couture.
- Passez un faufil sur la pliure.
- Choisissez un ruban cordé prérétréci (un gros grain ou autre entoilage).
- Faufilez et piquez à 3 mm du bord le ruban posé sous le pli, afin de le tenir en place.
- Pliez en deux et formez au fer (un léger arrondi fera mieux tenir sur la personne); étant droit fil, cet arrondi ne sera pas très prononcé.
- Reportez les repères du galon ou lacet sur l'entoilage.
- Marquez par un faufil au bas du ruban la ligne d'assemblage sur la partie qui sera assemblée à la jupe.

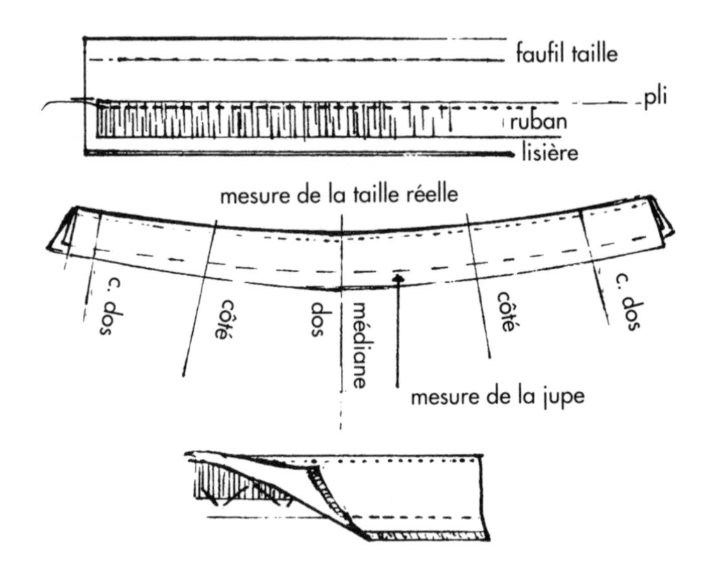


- Épinglez ce faufil sur la ligne de couture de la taille de la jupe et cousez la jupe et la doublure. L'entoilage libre au bas, se placera à l'intérieur de la couture.

- Dégradez les valeurs de couture (la plus longue à l'intérieur).

- Fermez les extrémités de la ceinture.

- Vous pouvez faire un point de chausson pour retenir le ruban à l'intérieur.

- N'oubliez pas de replier le tissu à l'intérieur, mais laissez-le tomber pour ne pas former trop d'épaisseurs à la taille.

- En terminant vous pouvez coudre sur le devant, à la machine, dans le creux du joint ou à la main au point mode.

- Posez les attaches.

## CHAÎNE

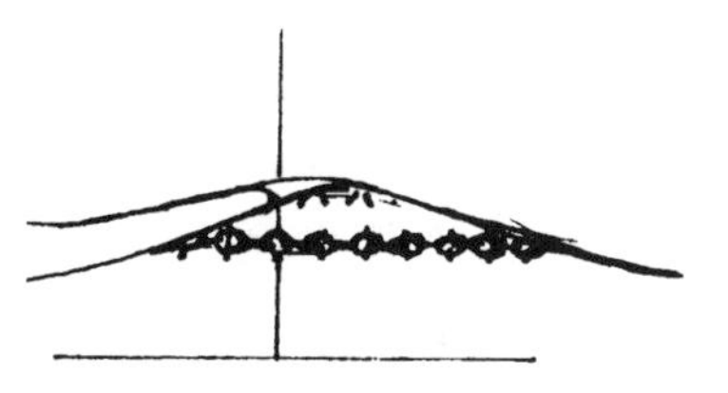

Fil dans le sens vertical d'un tissu (structure de base) sur lequel on entrecroise la trame. Le fil de chaîne est le premier à être monté si possiblesur le métier, il subira plusieurs opérations au cours du tissage, et c'est pour cette raison qu'il est généralement plus épais et plus résistant. Le fil en largeur (fil de trame) est souvent plus souple et plus lâche. C'est pour cette raison qu'on taille généralement un vêtement en mettant la longueur sur le fil de chaîne, la tombée sera meilleure.

- Pour améliorer la tombée d'un vêtement tailleur, vous pouvez coudre une chaîne sous le pli de la doublure, en haut de l'ourlet, avec des points roulés espacés de 5 cm des deux côtés de la chaîne.

## CHAÎNETTE (POINT DE)

Le point de chaînette est utilisé pour faire des brides. On se sert ainsi d'un fil extra fort ou d'un fil à boutonnière, d'une teinte assortie au tissu.

### *Méthode d'exécution*

- Marquez l'emplacement sur le tissu par deux points.
- Piquez l'aiguille dans le premier point.

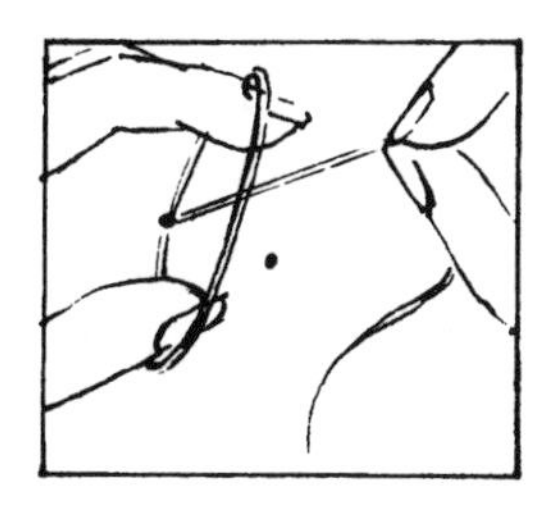

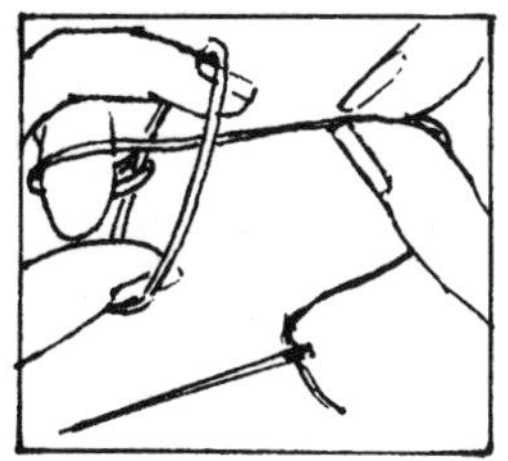

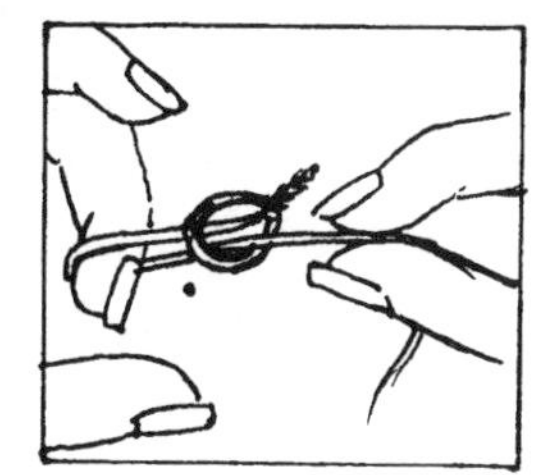

- Formez une boucle de 10 cm à 12 cm.
- Ouvrez la boucle avec le pouce et l'index de la main gauche tout en tenant l'extrémité du fil, de la main droite entre le pouce et l'index.
- Tirez, avec le majeur de la main gauche et à travers cette boucle, le fil qui formera la deuxième boucle et laissez glisser la première boucle sur le vêtement.
- Répétez ces étapes jusqu'à ce que la chaînette ait la longueur désirée.
- Arrêtez en piquant l'aiguille à travers la dernière boucle, et attachez solidement.

## CHASUBLE (ROBE)

Vêtement très facile à exécuter pour une débutante et, de plus, il se prête à de multiples usages.

## CHEMISE

- Ne jetez pas les belles chemises de votre mari une fois que les cols et les poignets commencent à montrer des signes d'usure. Faites-en une chemise pour votre petit garçon (ou votre fille). Lavez la chemise. Coupez le long des coutures, en laissant le devant intact. Placez le patron de chemise pour petit garçon vers le haut de la chemise, ce qui signifie que vous n'aurez pas à faire les pattes boutons et les boutonnières. Taillez des nouveaux poignets et le col dans les retailles. Pour une fille, placez le patron vers le bas de la chemise, les boutons seront alors dans le bon sens. On peut aussi faire des contrastes en cousant un col uni sur une chemise à rayures ou en faisant un rappel d'une des couleurs composantes. Ne vous donnez ce travail que si la chemise est d'excellente qualité.

## CISEAUX

La qualité d'une bonne paire de ciseaux se remarque à son tranchant. Payez un prix élevé pour vous assurer de sa qualité et entretenez-la pour conserver une coupe nette.

- Ne jamais couper de papier ou autre chose que du tissu et du fil avec vos bons ciseaux, cela pourrait les émousser.
- Attachez une paire de ciseaux à la machine à coudre, avec un galon de 30 cm, pour les avoir toujours à la portée de la main.

### *Affûtage* (AIGUISAGE)

Confiez les bons ciseaux de coupe endommagés au spécialiste et, pour les ciseaux à tout faire, affûtez les lames émoussées en coupant du papier de verre.

### *Ciseaux à boutonnières ou à broder*

Ils sont très pointus et courts, et sont destinés à faire les boutonnières et les travaux délicats.

### *Ciseaux à cranter et à raser les coutures* (CISEAUX DE COUTURE)

Plus petits et pointus, ils mesurent 12,75 cm ou 15 cm de long. L'une des pointes est arrondie pour éviter de faire des accrocs.

### *Ciseaux à denteler*

Les couturières préfèrent les ciseaux de 19 cm, lesquels sont destinés à la finition (bord du tranchant formé de dents). Utilisez ces ciseaux pour des tissus qui ne s'effilochent pas trop, mais jamais pour tailler.

### *Ciseaux à tout usage*

Pour découper les patrons de papier et de carton...

### *Ciseaux de coupe*

Ils mesurent de 20 cm à 40 cm selon l'épaisseur du tissu à couper. Le manche est recourbé et la lame inférieure ne soulève pas le tissu en taillant. Il existe des modèles pour gauchers.

### *Ciseaux pour tissus synthétiques*

Le tranchant est muni de mini-dents qui mordent dans les tissus légers et les tricots.

## COLS

Morceau d'étoffe, de fourrure ou autre matériau de dimensions et de formes variées, et qui sert à orner une encolure. Le style du col doit s'harmoniser avec le vêtement qu'il doit orner.

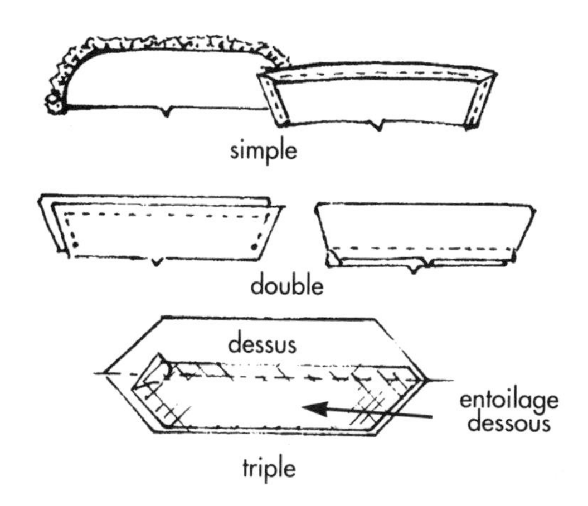


## *Col en simple épaisseur*

Il est confectionné dans certains tissus poilus, en fils bouclés, en tissages toilés ou en dentelle. Pliez simplement, piquez et surpiquez, ou ornez de biais ou de dentelle.

## *Col en double épaisseur*

Ce modèle de col est plus courant (coudre endroit dessus sur endroit dessous), piquez les trois côtés, arrêtez avec des points arrière à chaque extrémité avant la valeur de couture. Retournez, repassez.

## *Col en triple épaisseur*

Col double auquel on a intercalé une triplure, un entoilage classique ou un thermocollant.

## *Différentes composantes d'un col*

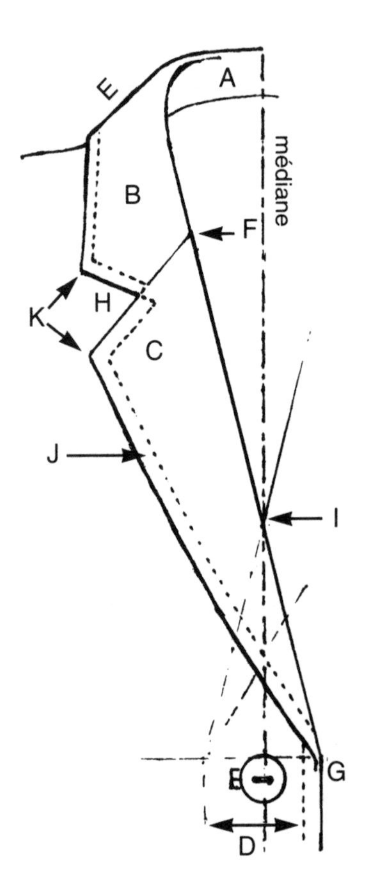


- A Pied de col (base du col)
- B Col (proprement dit)
- C Revers (partie repliée du corsage formant le col)
- D Croisures (parties superposées quand un vêtement est fermé)
- E Tombant (angle de tombée d'un col, du pli au corsage)
- F Pliure (ligne du pli où le tissu de l'intérieur se retrouve devant)
- G Point de cassure (coin de chute du revers)
- H Anglaises ou crans (écartements en pointe entre les deux parties d'un col tailleur)
- I Plongée (limite de l'ouverture du point de rencontre des revers fermant l'ouverture de l'encolure)
- J Surpiqûres (piqûres décoratives)
- K Pointes (bouts du col)

## *Différentes sortes de cols*

Tenant ou rapporté, le col peut être debout, plat, rabattu, roulé, en forme, en biais, à godets, ouvert devant ou derrière, près du cou ou dégagé, large ou étroit, avec ou sans pied de col... Par exemple, col officier, Claudine chemisier, entonnoir, noué, collerette, châle, tailleur, matelot, Berthe...

### REMARQUES

Le col est toujours taillé à une dimension légèrement plus petite que l'encolure où il doit être cousu.

Plus un col est droit, plus il roule.

Plus il est rond, plus il colle sur la personne, donc plus il est plat.

Les cols qui roulent donnent une allure plus riche que les cols plats.

Pour une belle courbe, laissez 2 cm droit avant de courber.

## **CONSTRUCTION DES VÊTEMENTS** (TEST DE QUALITÉ)

Pour reconnaître la qualité du vêtement que vous achetez, vérifiez si:

- le fil est de même matière que le tissu et de la bonne couleur;
- les coutures sont plates, de largeur égale, surjetées ou en zigzag (pour éviter l'effilochage);
- les piqûres sont soignées, petites, égales, sans plis et le fil est bien arrêté;
- la doublure, l'entredoublure et les garnitures peuvent supporter le même entretien que le tissu principal;
- les fermetures éclair sont plates et montées soigneusement;
- les boutonnières sont plates et les extrémités sont renforcées;
- les crochets, boucles, agrafes, pressions, boutons, garnitures sont fixés solidement.

## COTON

Le coton est la fibre naturelle végétale la plus populaire. Il peut avoir différents aspects, textures et épaisseurs (voile, denim, velours, finette...) Il se travaille bien et est très confortable, d'entretien assez facile (il nécessite un peu de repassage), à moins que vous ayez choisi un mélange coton-polyester au pourcentage de coton plus élevé pour ne pas trop en modifier ses qualités. Il est souple à manipuler, lavable, javellisable (s'il est blanc et pur à 100 %), par contre ses couleurs peuvent pâlir au soleil.

## COULEUR

Les couleurs foncées amincissent la silhouette alors que les couleurs claires avantagent celles qui sont un peu trop minces.

- Essayez la couleur près du visage, avec un bon éclairage, pour être certaine qu'elle convienne à votre teint, à vos cheveux, à vos yeux et à votre personnalité.
- Le choix des couleurs est très important quand vous achetez vos tissus. Il vous faut apporter des échantillons pour harmoniser vos vêtements entre eux afin de créer des ensembles interchangeables et de choisir les accessoires qui accompagnent au mieux ces vêtements. Le fil sera toujours d'une couleur un peu plus foncée que le tissu, et choisissez la couleur de la doublure — la même ou contrastante — selon vos goûts. Évitez les contrastes trop grands de couleur, et ce, surtout si les proportions de vos vêtements sont égales et coupent la silhouette en deux. Pour corriger ceci et éviter de choquer, faites un rappel vers le haut de la couleur du bas.

## COULISSE

Si vous voulez faire une coulisse à une robe, posez-la 2 cm ou 3 cm sous la taille pour permettre au corsage de blouser. On peut alors raccourcir une robe droite trop longue tout en la ceintrant. Si vous placez un élastique à l'intérieur de la coulisse, vous pourrez facilement l'enfiler. Vous pouvez également y joindre des attaches en tissu, si vous avez pris soin d'y faire deux ouvertures boutonnières pour laisser sortir les extrémités des attaches. Vous pouvez alors les nouer, et ajuster le corsage à votre gré.

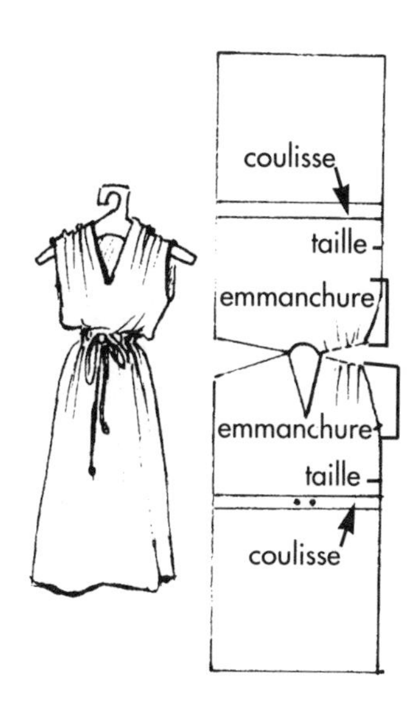


## COUPE

La coupe est une opération très importante, l'apparence soignée du vêtement fini en dépend.
Cette opération n'est pas difficile, il suffit de procéder par étapes.

*Matériel requis*

- Le patron doit être adapté à votre mesure. Voir *Mesures.*
- Le tissu doit être préparé, ou lavé. Voir *Décatissage, Tissu.*
- Préparation du patron et plan de disposition. Voir *Patron.*
- Avoir une bonne surface de travail. Voir *Table de coupe.*
- De bons ciseaux de coupe. Voir *Ciseaux.*

- Une boîte distributrice d'épingles. Voir *Épingles, Pelote à épingles.*
- Crayon ou craie de tailleur. Voir *Craie de tailleur.*

### *Opérations*

1. Placez le tissu sur la table en suivant le plan de disposition choisi (selon la largeur du tissu et votre taille). La flèche à doubles pointes indique le droit fil. Voir *Droit fil.* Mesurez à deux endroits avant d'épingler.
2. Ne découpez pas avant d'avoir vérifié si tous les morceaux sont en place, pour vous assurer d'avoir suffisamment de tissu.
3. Coupez sur la ligne de coupe avec précision, sans oublier les crans extérieurs.
4. Certains morceaux doivent être taillés sur une seule épaisseur de tissu, soyez certaine de tailler le deuxième dans le sens opposé correspondant.
5. Quand vous enlevez le papier du tissu, marquez vos valeurs de couture avec le crayon de tailleur (ou au fil, pli, pinces, repères...) il sera plus facile de piquer ensuite. Voir *Marquage, Valeur de couture.*
6. Vérifiez si les repères coïncident bien. Voir *Repères.*

### *Trucs de coupe*

- Pour retenir le tissu et protéger la surface de la table, recouvrez celle-ci de feutre ou d'un drap.
- Si vous maintenez le tissu à l'aide de ruban adhésif (ruban à masquer) il ne glissera pas.
- Avec une planche à tailler, il vous sera facile de placer le droit fil.

- Un tissu épais ou encombrant se taille plus facilement une épaisseur à la fois, tout comme les tissus à sens unique.
- Quand vous taillez une épaisseur à la fois, coupez d'abord la face imprimée dessus ensuite dessous.
- Si un tissu est trop léger et glissant, épinglez-le sur du papier de soie; de plus, il se piquera mieux par la suite.
- Conservez vos chutes de tissus (retailles) pour vérifier vos points et vos techniques de repassage.

## COUSSINS DE PRESSAGE

### *Coussin de tailleur*

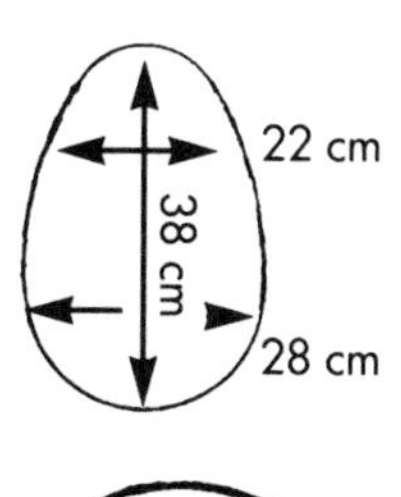

De forme ovoïde, très ferme, on l'utilise pour presser les coutures courbes, les pinces et les arrondis. Un côté est recouvert de coton pour presser le coton et le lin à haute température, l'autre côté du coussin est en lainage pour éviter de lustrer les lainages. Il est facile à confectionner. Taillez-en un ou deux, l'un en coutil et l'autre en lainage. Cousez à la machine à petits points serrés tout en laissant une ouverture pour retourner. Remplissez-le de sciure de bois ou de fragments de laine humide à pleine capacité. Fermez avec de petits points serrés de surjet. Laissez sécher plusieurs jours avant de vous en servir.

### *Moufle de pressage*

Semblable au coussin de tailleur, on peut toutefois y enfiler la main ou l'extrémité de la jeannette. Il peut servir en voyage pour *minipressing*.

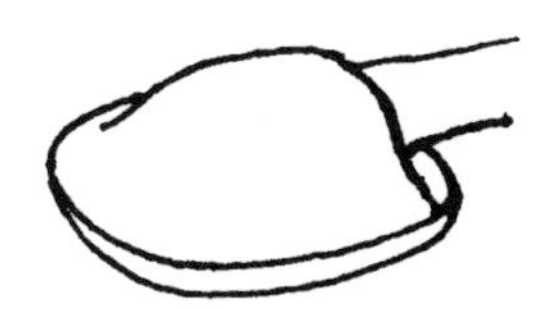

*Rouleau «passe-carreau»*

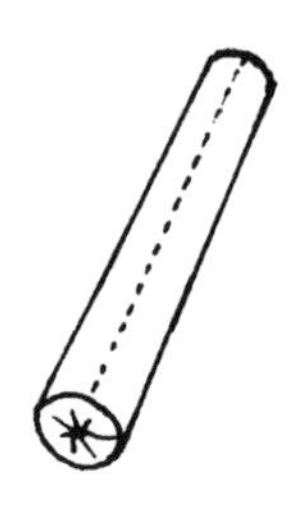

Il permet de presser les coutures ouvertes et de les empêcher de marquer sur l'endroit. Vous pourrez presser seulement sur la ligne de couture, sans toucher les valeurs de couture. Vous pourrez le fabriquer en roulant un magazine bien serré et en le recouvrant d'un tissu épais et solide de coton ou de laine-coton.

## COUTURES

Assemblage de deux ou plusieurs morceaux par une suite de points.

*Coutures courbes*

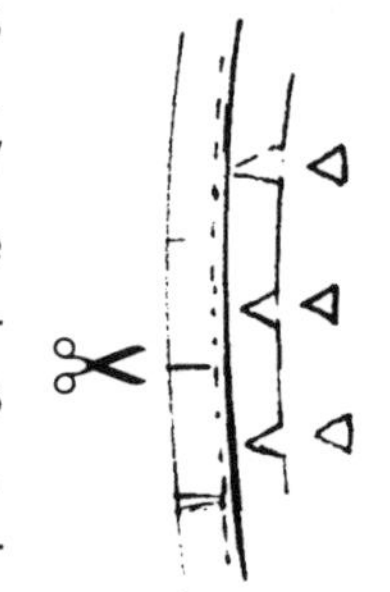

Avant de presser, vous crantez toutes les valeurs de couture afin qu'elles soient bien plates. Fendez les parties concaves et coupez en V aux parties convexes, pressez ensuite sur une moufle ou un coussin de tailleur pour conserver l'arrondi, et glissez du papier sous les coutures si celles-ci ont tendance à marquer. Employez un point plus court dans les courbes et réduisez la vitesse. Il est préférable de faire une couture de soutien au préalable. Voir *Encocher et entailler.*

*Coutures des angles*

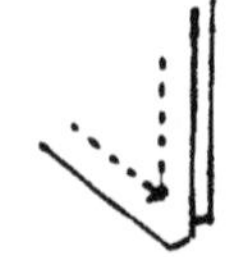

Faites une couture de soutien de 2,5 cm des deux côtés du coin. Cousez jusqu'à 1,5 cm du bord, relevez le pied-de-biche, tournez le tissu (aiguille enfoncée dans tissu), abaissez le pied-de-biche et piquez l'autre côté.

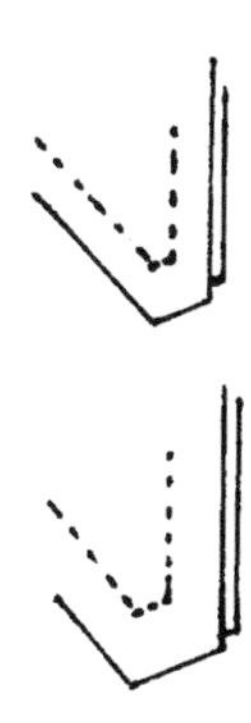

- Si l'angle est un angle intérieur (col), finissez les coins en diagonale. La pointe sera ainsi plus nette quand vous la rabattrez. Pour les tissus légers, faites-en un point; pour les tissus moyens, deux points et faites-en trois pour les tissus plus épais.
- Voir *Amincir, Rasage.*

## *Coutures de soutien*

Ces coutures sont exécutées dans certains cas pour empêcher le tissu de s'étirer. Les coutures nécessitant le plus de renfort sont celles des arrondis et des angles, les tissus à armure lâche ou les tissus extensibles. Faites-les immédiatement après le taillage (avant le faufilage, l'épinglage et l'essayage). Faites ces coutures dans le sens du fil dans la mesure du possible, à la machine, avec du fil de même ton, à points ordinaires, dans le tissu simple près de la couture d'assemblage. Vérifiez à nouveau et comparez avec le patron si le tissu s'est étiré. Si c'est le cas, relevez le fil avec une épingle et tirez jusqu'à ce que vous obteniez la mesure exacte. S'il est trop froncé, coupez ici et là le fil, jusqu'à ce que vous obteniez la bonne mesure. Voir *Guide.*

## *Coutures droites*

(COUTURES SIMPLES SUR LA LIGNE PRÉVUE À CET EFFET)

Formez les coutures avec le plus grand soin. Ajustez votre machine pour avoir un point impeccable et qui convient à votre tissu. Endroit sur endroit, en raccordant les crans, placez vos épingles

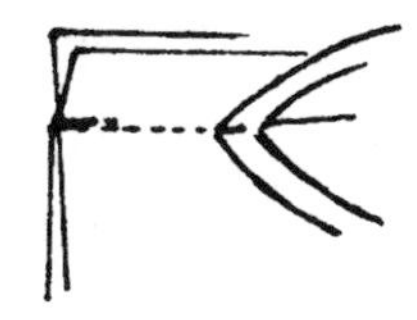

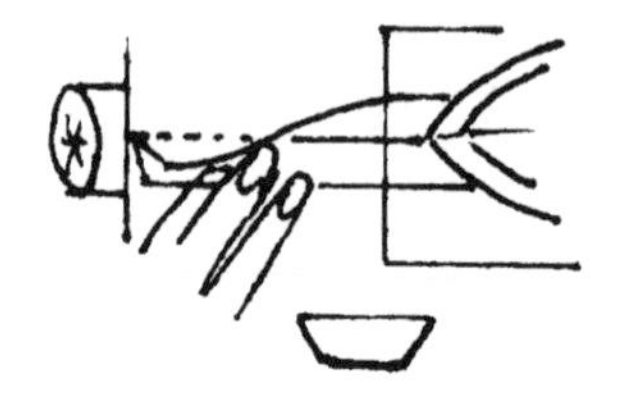

perpendiculairement à la longueur. Faufilez si vous voulez obtenir plus de précision pour l'essayage. Retirez les épingles à mesure que vous cousez et faites des points d'arrêt au commencement et à la fin. Enlevez le faufil, repassez à plat dans le sens des coutures afin d'en aplatir les points; il vous sera, le cas échéant, plus facile d'ouvrir. Séparez les bords avec le bout des doigts et pressez avec la pointe du fer (sur rouleau passe-carreau, quand le tissu se marque facilement) ou avec des bandes de papier sous la valeur de couture. Vous pouvez mettre un peu d'eau dans la gorge de la couture avec une éponge et presser avec une pattemouille.

- Toutes les coutures doivent être pressées avant d'en croiser une autre pour que les intersections soient bien nettes.

*Direction des coutures*

- Dirigez les coutures droites et les piqûres de soutien dans le sens qui leur convient. Elles se font dans la mesure du possible dans le sens du tissu.
- Les coutures d'encolure exigent un traitement spécial. Soutenez la couture en vous y prenant à deux reprises. À l'assemblage toutefois vous ferez une seule piqûre, le tissu étant bien soutenu.
- Dans les tissus pelucheux, cousez dans le sens du poil.

## *Pour joindre un coin intérieur à un coin extérieur*

- Faites la couture de soutien.
- Coupez en protégeant le coin avec une épingle.
- Épinglez pour faire ajuster les deux sections.
- Piquez en pivotant sur le coin.

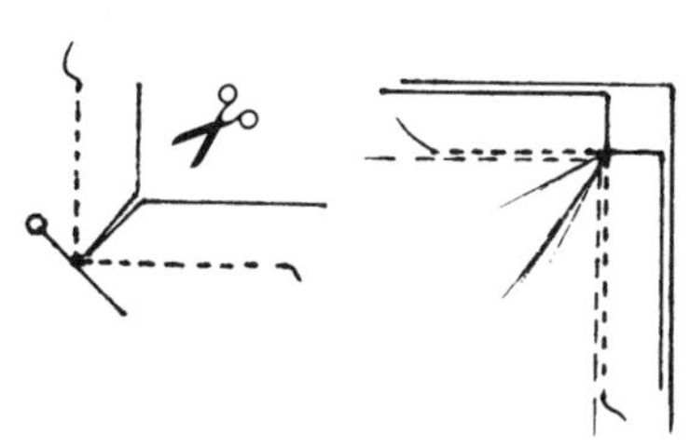

## *Finition des coutures*

### COUTURE DOUBLE (EN FOURREAU) ANGLAISE OU FRANÇAISE

Pour les vêtements devant être lavés souvent ou pour les tissus légers: (A) faites une couture à 1 cm du bord, simple sur l'endroit (envers contre envers) et coupez près de la couture (1 cm); (B) retournez, faites une deuxième couture (endroit sur endroit) puis repassez. Piquez sur la ligne de couture à 6 mm du pli. Repassez sur un côté.

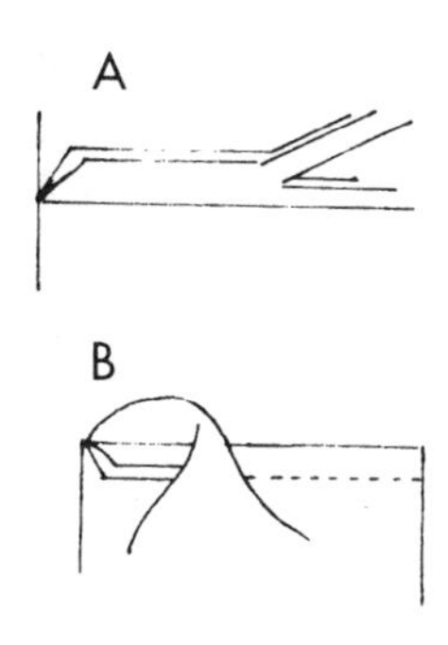


### COUTURE GALONNÉE

Elle est utilisée pour les tricots et empêche la couture de s'étirer et de se déformer. (Lavez le galon au préalable.) Placez le galon sur la ligne de couture et cousez les trois épaisseurs ensemble.

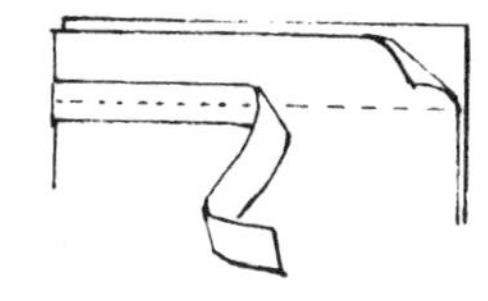

### COUTURE RABATTUE ET PIQUÉE

On la fait sur les vêtements de sport, de travail, les pyjamas, les chemises d'homme et elle est très résistante. Envers sur envers, assemblez les deux morceaux de tissu puis coupez un des bords à 3 mm de la couture. Rentrez l'autre bord, ramenez-le par-dessus la partie coupée et cousez près de la pliure. Cette couture est très décorative quand elle est uniforme.

### COUTURE SURFILÉE

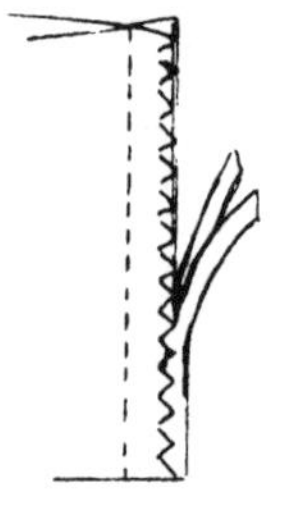

Couture souple et étroite (3 mm à 6 mm), utilisée dans les endroits où on a besoin d'un minimum d'épaisseur. Faites une couture simple puis en zigzag, rasez de près et repassez à plat sur un côté.

### FAUSSE COUTURE FRANÇAISE

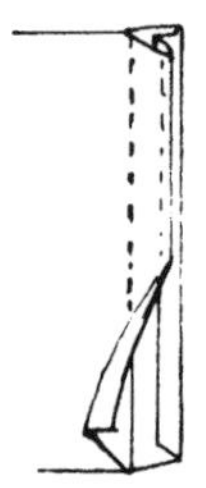

Mettez le tissu endroit sur endroit, repliez vers l'intérieur et piquez ensemble. Repassez sur un côté.

### FINITION HONG KONG

Pour les étoffes épaisses, taillez des biais de 3,75 cm de large, piquez endroit contre endroit à 6 mm du bord. Rabattez le biais sur l'envers, repassez sur l'endroit, piquez dans le creux de la première couture et rasez le bord non fini.

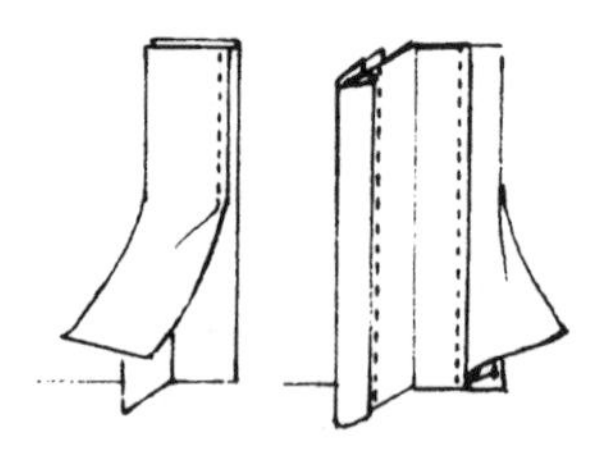

RESSOURCES AU POINT ZIGZAG

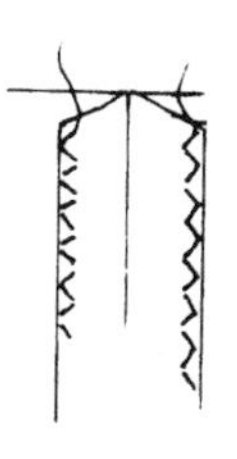

Finition très solide, pour tissu qui s'effiloche. N'étirez pas le bord, car cela pourrait le faire onduler. Faites les zigzags assez larges et près du bord.

RESSOURCES BORDÉES DE RUBANS DE TULLE

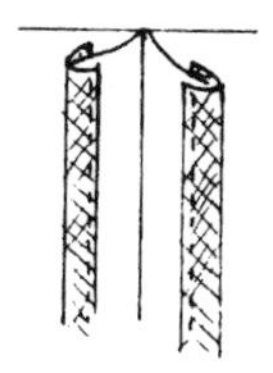

Posez-les comme un biais ordinaire du commerce et réservez cette technique pour les tissus délicats comme le chiffon et le velours.

RESSOURCES BORDÉES D'UN BIAIS

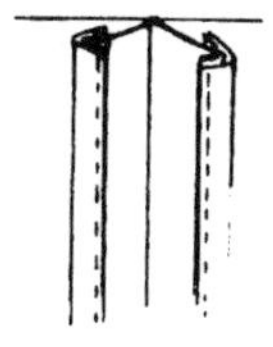

Mettez la partie la plus large du biais dessous et piquez près du bord. On utilise cette technique pour les vestes et les manteaux non doublés. (Le biais est vendu dans le commerce.)

RESSOURCES CRANTÉES

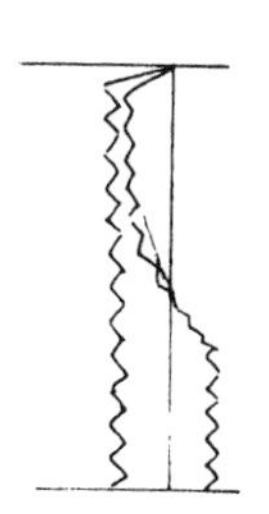

Elles sont faites à l'aide de ciseaux à denteler, sur les deux épaisseurs pour les tissus légers et sur une épaisseur à la fois pour les tissus mous, surtout pour les tissus qui ne s'effilochent pas trop. Pour obtenir un meilleur résultat, n'ouvrez et ne fermez pas trop les ciseaux.

RESSOURCES PIQUÉES ET CRANTÉES

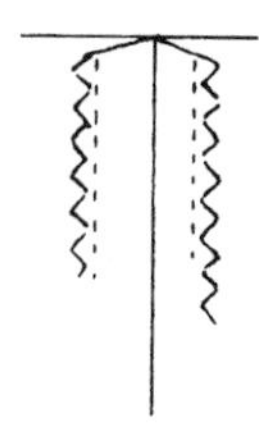

Piquez 6 mm du bord et finissez aux ciseaux à denteler pour empêcher l'effilochage du tissu.

RESSOURCES REPLIÉES ET PIQUÉES

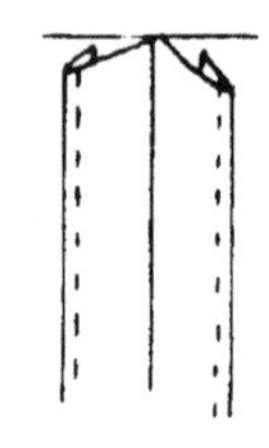

C'est une finition tailleur pour les vestes non doublées. Repliez la ressource de 3 mm à 6 mm selon le tissu et piquez le long du bord.

RESSOURCES SURFILÉES À LA MAIN

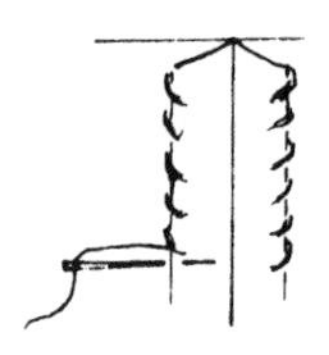

Point de surfil de 3 mm de profondeur, espacé de 6 mm avec fil simple pas trop tendu. On utilise ce point pour les endroits difficiles à exécuter à la machine. Voir *Point de grébiche, Point de surfil.*

## CRAIE DE TAILLEUR

- Assurez-vous qu'il s'agit de craie et non de cire.
- Ayez-en de deux couleurs différentes.
- La roulette à tracer et le papier carbone sont à déconseiller, car ils percent ou tachent certains tissus.
- Vous pouvez remplacer la craie de tailleur par un reste de pain de savon séché, très mince, pour marquer les tissus foncés. Toute trace disparaît au pressage.
- La craie de tailleur existe sous forme de crayon.

## CRAN (VOIR *ENCOCHER ET ENTAILLER*)

C'est une fente pratiquée sur le bord d'une valeur de couture afin de permettre sa mise à plat dans les courbes et les angles.

## CRAVATE

- La cravate se taille en franc biais, donc un tissu rayé donnera une cravate à rayures diagonales.
- L'entoilage (assez rigide) doit aussi être taillé en biais, cela donne du corps.
- L'extrémité du dessus de la cravate doit toucher le haut de la ceinture. (Vérifiez votre patron avant de tailler et si la longueur change, corrigez-la sur l'entoilage.) Cette modification se fait à la couture de jonction.
- Placez la couture de jonction derrière le cou: elle ne doit pas paraître dans le nœud.
- Pour une belle tenue, doublez les deux extrémités.
- Taillez une forme en carton (gabarit) pour faciliter le pressage et la finition à la main (à points coulés).
- Pressez à la vapeur avec une pattemouille, sans appuyer.
- Pour que la petite partie reste en place, cousez à points coulés un ruban sur l'envers de la partie visible afin de l'y glisser.
- Vous pouvez utiliser une cravate défraîchie comme patron et réutiliser l'entoilage que vous laverez si nécessaire, mais attention de ne pas la déformer au pressage!

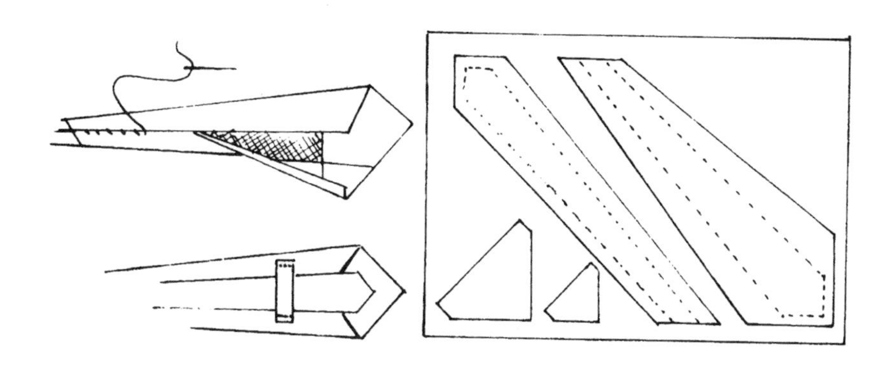

- Si on achète 12 cm de plus, on pourra tailler deux cravates au lieu d'une.

## CROQUIS (VOIR *ESQUISSE*)

Dessin rapide, dégageant à grands traits l'essentiel d'un modèle de vêtement que l'on veut exécuter.
Ayez à votre disposition des silhouettes dans diverses positions dessinées sur un papier transparent. Faites des essais en variant les détails, les formes et les lignes pour en voir les différents aspects intéressants que ce même vêtement pourrait présenter.

## DÉ À COUDRE

Fourreau destiné à protéger le doigt qui pousse l'aiguille, lorsqu'on fait une couture à la main.
L'histoire du dé à coudre, tout comme celle de l'aiguille, est très ancienne. On a retrouvé des dés en cuir dans les tombeaux des pharaons (2778-2260 av. J.-C.) et d'autres en Chine (à une époque très lointaine) faits d'or et d'argent, sertis de pierres précieuses. Ces dés sont de véritables pièces de collection.

- Le dé doit s'adapter à l'extrémité du majeur de la main droite.
- Préférez un dé de métal léger à un dé en os, trop fragile, et à un dé en argent, trop lourd.
- Les trous extérieurs ne sont souvent pas assez profonds pour maintenir l'aiguille et éviter qu'elle ne glisse.
- Les dés existent en plusieurs tailles, du n° 6 (petit) au n° 12 (grand).
- Une bonne couturière porte toujours son dé pour les coutures à la main afin de se protéger contre les piqûres d'aiguille, surtout dans les tissus épais.

## DÉCATISSAGE

Procédé qui consiste à faire rétrécir le tissu au maximum, avant la coupe. Afin d'éviter de mauvaises surprises, vous devez laver votre tissu. S'il est lavable, suivez les conseils du fabricant; si vous n'en êtes pas certaine, vérifiez sa réaction au pressage humide sur un échantillon.

- Vous pourrez décatir un beau lainage chez le nettoyeur; pour obtenir un bon résultat demandez un pressage humide.
- Si vous le faites vous-même, gardez le tissu plié, endroit à l'intérieur. Repassez avec une pattemouille humide sur une face, sans écraser le pli. Retournez et recommencez sur l'autre face. Ne repassez pas sur l'endroit pour ne pas lustrer le tissu. Laissez sécher avant de couper le tissu.
- Une autre façon de décatir consiste à envelopper d'un drap humide le tissu plié et maintenu droit fil. Laissez suspendre sur la barre de la salle de bain durant toute une nuit avant de presser.
- Il faut aussi décatir la fermeture à glissière.
- Vous n'aurez pas besoin de décatir un tissu déjà pré-rétréci. Vérifiez l'étiquette au moment de l'achat.

## DÉCOUDRE (OUTIL À)

Instrument muni d'une lame incurvée et d'une pointe, il s'introduit facilement sous le fil. On s'en sert pour défaire les coutures et pour couper les boutonnières machines. Utilisez avec soin pour ne couper que ce qui doit l'être. Cet outil est indispensable à la couturière.

**DÉCOUPE** (COUTURE DE STRUCTURES INTÉRIEURES)

Décoration produite par une couture qui assemble des pièces de vêtement et qui lui donne, en lui conférant une ligne particulière, un style. La découpe princesse ou la découpe empire, par exemple.
Ces coutures créent aussi un jeu d'optique, à vous de les utiliser à votre avantage.

*Couture horizontale*

Attire l'attention sur la plus petite partie du vêtement et agrandit l'autre partie. Évitez la couture médiane si vous voulez jouer sur la longueur par le haut ou par le bas, car elle coupe la silhouette en deux, surtout si la couleur des parties est contrastante. La jupe ne devrait jamais être de la même longueur que le corsage.

*Couture oblique*

Donne habituellement une impression de hauteur. Si elle est courte toutefois, elle attire l'attention vers l'endroit où elle se termine.

*Couture verticale*

Donne une impression de hauteur si elle est simple. Si elle est répétée à espace régulier, l'œil va de l'une à l'autre en alternance et fait paraître la même silhouette plus large et plus courte.

## DÉGRADER

Retailler à une largeur différente chaque marge de couture (valeur de couture), à plusieurs épaisseurs, afin d'en réduire le volume et d'aplatir la couture.

## DENIM

*Origine*

Lévi Strauss, de Bavière, se rend en Californie pour chercher de l'or et pour vendre de la toile à tente et à bâche provenant de Nîmes (d'où le nom «denim» donné à ce tissu). Il s'aperçoit rapidement que ce sont de pantalons solides et résistants dont les chercheurs d'or ont besoin. Il teint donc à l'indigo (bleu) sa toile pour la rendre moins salissante et confectionne un nouveau type de pantalon qui obtiendra un vif succès auprès des travailleurs. Ensuite, le jeans devint le symbole de la jeunesse après que l'aient porté James Dean et Marlon Brando au cinéma. Vers les années 1980, le jeans fait sa rentrée chez les grands couturiers grâce au prêt-à-porter.
Le tissu à jeans a marqué plus que tout autre la dernière décennie. C'est une grosse serge de coton, habituellement bleu (dessus), beige (envers), très durable, légèrement extensible à cause de son tissage en diagonale. Il est très utilisé pour les vêtements d'enfants et même en décoration (pantalon, salopette, coussin, napperon, tablier...).

## DENTELLE

Étoffe de coton ou d'autres fibres, à motifs répartis sur un réseau de mailles entrelacées. La dentelle est décorative et ajoute une touche de féminité et de romantisme à un vêtement. Déposez-la harmonieusement, et comme elle peut être portée dans tous les sens son utilisation est très facile. Raccordez les motifs au besoin. Le bord festonné de certaines dentelles peut servir d'ourlet. Maintenant fabriquée à la machine, elle s'inspire des dentelles artisanales à l'aiguille, au fuseau ou au crochet. À l'assemblage, les coutures intérieures doivent être faites soigneusement pour éviter qu'on ne les voie à travers les mailles. Une couture nette, étroite, double ou française convient aux dentelles (à moins qu'elles ne soient doublées), et celles-ci sont cousues avec une aiguille très fine et des points courts, droits ou en zigzag.

- Pour allonger une robe ou un jupon, posez une insertion de dentelle en ruban (bords droits) de différentes largeurs ou de un ou plusieurs rangs.

### *Dentelles à ourlets*

Vous trouverez ces dentelles dans les merceries. Les dentelles étroites servent à finir tandis que les dentelles plus larges servent de parementures. On s'en sert aussi pour allonger un vêtement dont le bord est trop étroit, ou pour diminuer le volume dans un vêtement lourd.

### *Incrustation de dentelles appliquées*

Utilisez de la dentelle au mètre et si celle-ci est trop souple, mettez un morceau de tulle sur l'envers. Épinglez. Choisissez le motif que vous voulez utiliser. Bâtissez à l'intérieur du motif (5 mm) avec fil contrastant. Enlevez les épingles. Dé-

posez sur l'endroit du vêtement. Bâtissez autour du motif (5 mm à l'extérieur). Avec un point zigzag serré, suivez le contour du motif en pivotant dans les courbes. Tirez les fils vers l'envers et nouez. Découpez avec des ciseaux à broder l'excédant du tissu qui est tout près du zigzag. Prenez garde de ne pas couper le fil ni le tissu du vêtement. Enlevez le bâti. Retournez à l'envers. Coupez le tissu sous le motif en dentelle (pincez le tissu pour séparer le tissu de la dentelle, faites une incision) et découpez également près du zigzag avec minutie. Repassez au fer tiède sans trop appuyer, avec une pattemouille.

## DÉTAILS

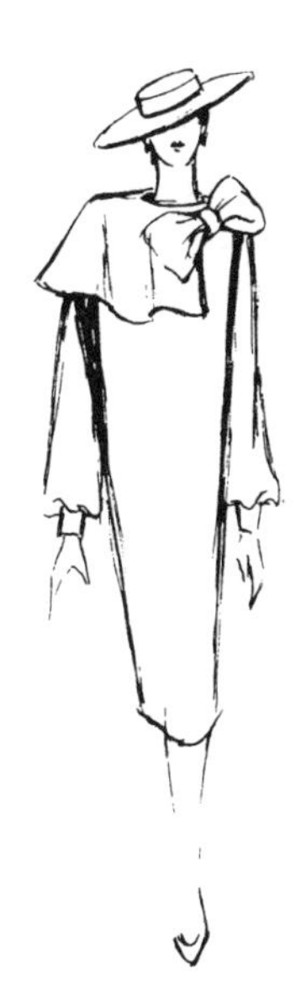

Les détails personnalisent un vêtement pour en faire une exclusivité. Ce sont des décorations ou des parures façonnées par la couturière, tels que les volants de tous genres, les ruchés, les passepoils, les surpiqûres, les points de décoration, les nervures, les plis, les découpes, les boucles ou nœuds de ruban, les festons, les pattes, les ceintures, les franges, les blousages, les volants, les bouillonnés, la broderie, les appliqués... de même que les cols, les poches, les poignets ou revers qui peuvent être exécutés avec plus ou moins de fantaisie.

Les détails doivent s'intégrer parfaitement au vêtement, devenir essentiels, et ne doivent pas être une décoration que l'on

ajoute à la dernière minute. Ils attirent l'attention, profitez-en pour attirer les regards sur eux. Ainsi, un beau col contrastant près du visage distrait des hanches trop fortes. Les détails peuvent également mettre en valeur votre physionomie, comme le fait un col et une encolure pour un cou long ou court. Voir *Cols, Encolure.*
Ne confondez pas les détails avec les garnitures (voir cette rubrique) qui sont des ornements pré-confectionnés achetés dans les merceries.

## DOUBLURE

Étoffe qui sert à garnir élégamment l'intérieur d'un vêtement de manière complète ou partielle, afin de lui donner du corps et l'empêcher de se déformer ou pour qu'il s'enfile plus facilement.
On taille la doublure dans un tissu léger tel que la soie, le satin, la satinette, le crêpe, la batiste, le taffetas. Ce tissu doit être doux, opaque et résistant. Le poids, la couleur et l'entretien doivent convenir au tissu du vêtement. Un tissu antistatique est préférable pour les robes et les jupes.
La doublure s'applique en dernier, c'est la touche finale de l'assemblage.
Rappelez-vous qu'une doublure mal posée peut nuire à l'aspect d'un vêtement. Ne travaillez pas à la hâte si vous voulez obtenir de bons résultats.

*Pose de doublure qu'on ne voit pas dans une robe sans manches.*

Taillez la doublure à l'aide du patron, réduisez ensuite de 3 mm en finissant à rien. Assemblez la doublure au corsage en gardant la différence, de façon à ce que la doublure ne paraisse pas à l'encolure et aux emmanchures.

- Pour que la doublure reste en place: faites une couture machine aux épaules et aux latérales. Piquez à travers tissu et doublure sur l'endroit, directement sur la couture d'assemblage. Cette couture est absolument invisible et la doublure ne bougera pas.
- Si vous voulez qu'une doublure de jupe tombe bien, pliez le bord deux fois au lieu d'une, ce qui l'alourdira.
- Pour ne pas dépasser, la doublure doit être de 2,5 cm plus courte que le vêtement.
- Cousez le coin de la doublure en biais à la main.
- La méthode de pose de la doublure est clairement indiquée sur la feuille explicative d'un patron.

## DRAPÉ

Pour faire un drapé, appliquez le principe des godets. Le drapé forme des plis flottants, très féminins et très gracieux et doit être exécuté dans des tissus souples et en biais. Il ne faut toutefois pas en exagérer son ampleur, qui doit correspondre à celle des pinces du patron de base. Autrement dit, le drapé remplace les pinces. Ce point de départ est crucial, car le drapé attire le regard. Choisissez-en l'emplacement avec soin.

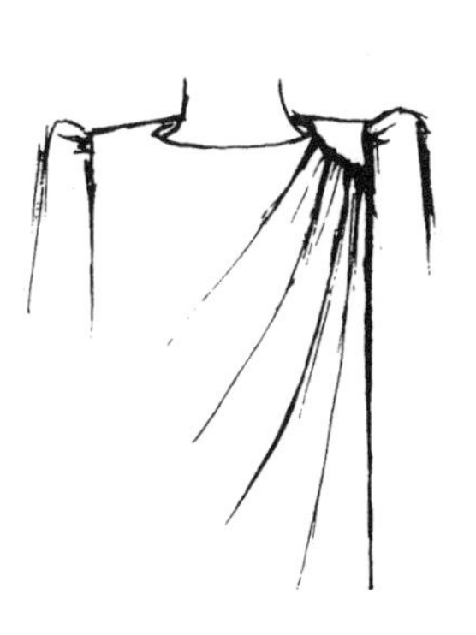

## DROIT FIL (DROIT FIL CHAÎNE OU DROIT FIL TRAME)

- Que ce soit dans le sens de la chaîne (lisière) ou dans le sens de la trame (travers du tissu), le droit fil est facile à repérer.

- Faites une petite entaille dans le tissu et tirez délicatement le fil de trame.
- Coupez le long de cette ligne.
- Il est important de redresser un tissu avant de le tailler.

Le droit fil chaîne est souvent marqué sur un patron par une ligne droite ou fléchée. Le droit fil chaîne se déforme moins et on l'utilise plus souvent pour un vêtement taillé en hauteur. Le droit fil trame est plus souple et ne s'emploie que rarement.

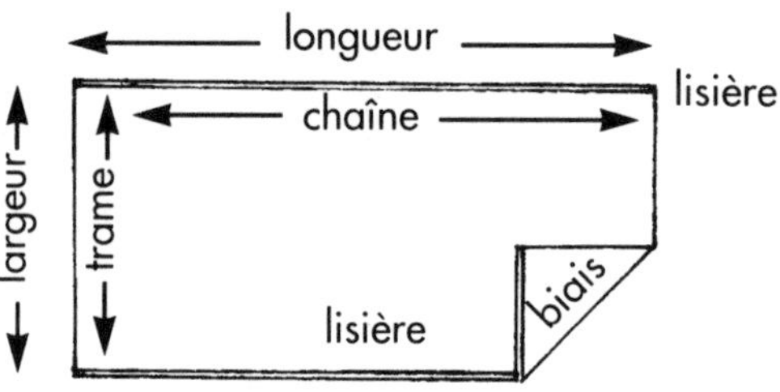


*Comment redresser un tissu sans tirer de fil*

Pliez le tissu en deux, les lisières l'une sur l'autre. Si les bouts ne sont pas égaux, tirez sur le biais.

- Les tissus infroissables ne peuvent être redressés, il est donc important, avant l'achat, de lire l'étiquette. Ne l'achetez pas s'il n'est pas pré-rétréci et si le tissu n'est pas droit fil. Voir *Décatissage*.
- Si le tissu est lavable: pliez le tissu dans le sens de la chaîne, faufilez les lisières et les deux bouts. Crantez les lisières (elles peuvent rétrécir), pliez le tissu pour faire un carré de 51 cm de côté sans presser. Trempez-le dans de l'eau chaude et laissez-le s'imprégner. Suspendez-le

dans le sens de la chaîne sur une barre en le redressant. (Tirez sur le biais.) Repassez-le à l'envers avant de l'épingler et de le tailler.

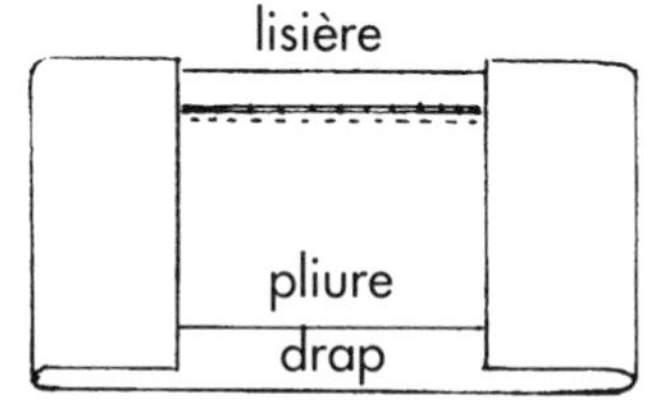


- Si le tissu n'est pas lavable, voir les explications dans *Décatissage*.
- Voir *Biais*.

## **DROITE** (LIGNE)

On dit qu'un vêtement (une robe, une blouse, une jupe, un manteau) est de ligne droite lorsqu'il n'est pas cintré. Il n'a donc pas de pinces de taille, ni courbure, ni ampleur et il tombe droit.

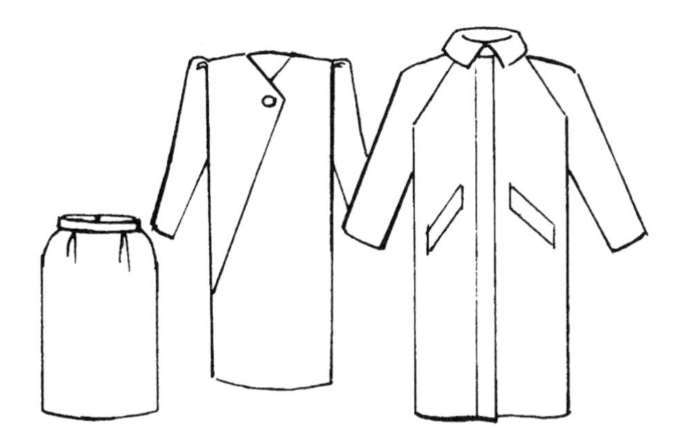

- Pour que ce vêtement tombe bien, on doit conserver la pince de buste. Son ampleur doit être bien contrôlée, et aucune rondeur doit venir briser cette ligne qui allonge la silhouette.
- Seule la personne au bassin étroit et à large poitrine peut se permettre de rétrécir un manteau droit vers le bas. (On dit alors qu'il est entravé.)

- La jupe droite (séparée, non attachée à un corsage) exige un ajustage à la taille. On alloue environ 3 cm d'ampleur de plus que la mesure du corps pour un beau tombant. L'ouverture se place d'habitude dans le dos, et la jupe tombe droite des hanches jusqu'à l'ourlet. Voir *Jupe*.
- Si on rétrécit cette jupe vers le bas, on en fait un fourreau. On fera alors une fente à l'arrière pour faciliter la marche, mais jamais sur les côtés, ce qui briserait sa ligne.
- Voir *Lignes*

## ÉCHANTILLON

Petits bouts de tissu provenant de chute de couture et servant à faire des tests de piquage, de longueur de points, de couleurs du fil, de boutonnières...
Il est précieux aussi d'emporter des échantillons dans son sac à main pour acheter les accessoires nécessaires pour compléter sa toilette, ou encore d'autres tissus qui s'agenceront bien avec ceux que l'on possède déjà.

## ÉCHARPE

Faites une écharpe dans un reste de tissu, si celui-ci est souple et de la bonne dimension. Cette écharpe permet d'obtenir un ensemble (jupe et écharpe assorties, par exemple). Faites une frange (de 2,5 cm environ) aux deux extrémités et finissez au point zigzag tout autour pour empêcher qu'elle ne s'effiloche.

## ÉCOLE

Il existe de très bonnes écoles d'enseignement de la couture. Si vous décidez que vous voulez vous perfectionner dans ce domaine, consultez les pages jaunes de l'annuaire du téléphone et informez-vous sur les conditions et les prix, ou encore consultez d'anciens élèves. Certains cours pour adultes sont donnés dans les cégeps ou les salles paroissiales.

## ÉCONOMIE

Faites vos propres vêtements, c'est un bon moyen de faire des économies, mais à condition que cela en vaille la peine. Comparez le prix du vêtement vendu dans une belle boutique avec son prix de revient si on le faisait à la maison (patron, tissu, doublure, fil...). L'économie est avantageuse si on compare les prix de la belle confection avec le coût de bons tissus, et non si on compare le prix de vêtements de seconde qualité. En le faisant vous-même, vous serez certaine d'avoir exactement ce qui vous convient.

- Il suffit de faire ses achats au moment des soldes sur les tissus et les patrons.

## EFFILER, EFFILOCHER OU EFFRANGER

Tirez les fils d'un tissu pour faire une frange, finissez par un zigzag ou une couture simple pour ne pas qu'il s'effiloche.

## ÉLASTIQUE

Il existe plusieurs sortes d'élastiques: les élastiques d'usage courant, destinés à être cachés et les élastiques décoratifs aux largeurs et aux couleurs variées.

- Pour passer un élastique dans une coulisse, on se sert d'une épingle à ressort que l'on pique et referme à un bout pour l'introduire dans la coulisse.

- Pour faire des bouillonnés extensibles, on peut se servir d'un élastique très fin qui s'enroule dans la bobine de la machine. Cela est très joli et facile à enfiler et on l'utilise pour les vêtements de petites filles.

### *Pose d'une ceinture élastique et décorative*

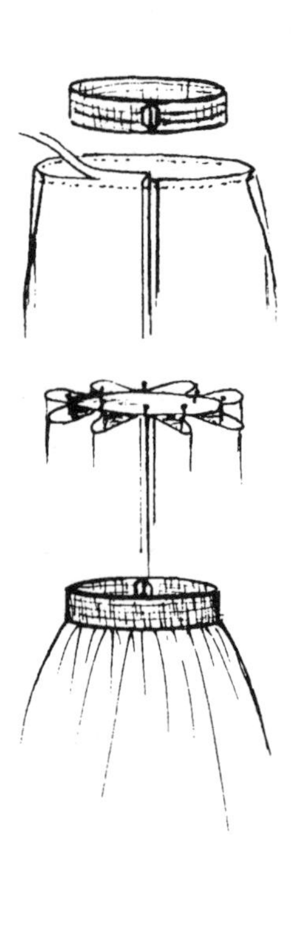

Prenez un élastique de la longueur du tour de taille plus 5 cm pour la croisure. Assemblez les extrémités, en utilisant 2,5 cm de valeur de couture. Finissez au zigzag. Soutenez la ligne de couture. Réduisez la valeur de couture à 6 mm. Épinglez. Cousez en tirant l'élastique, cousez-le au point zigzag moyen ou droit, en enlevant les épingles au fur et à mesure.
Repassez la bande vers le haut. Attention! un excès de chaleur peut endommager l'élastique.

### *Pose d'une bande de taille élastique non apparente*

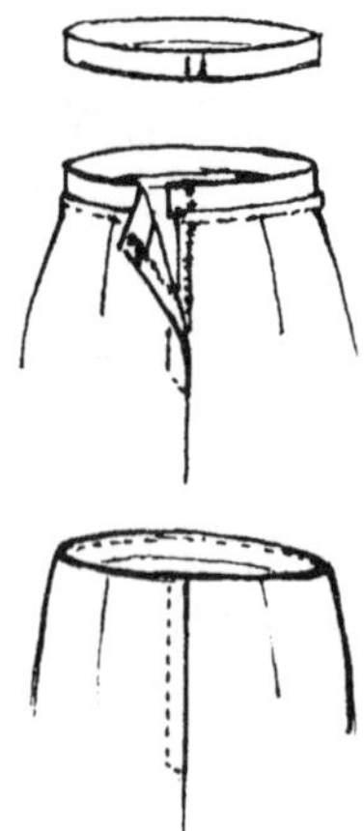

Pièce qui peut être utilisée pour toutes les jupes ou pantalons, à condition que la mesure de taille soit plus large de 2,5 cm à 3,75 cm que la mesure voulue. Coupez une bande élastique de 5 cm à 7,5 cm de largeur, de la longueur de la taille normale. Épinglez en étirant les coutures de côté et les médianes, faufilez. Piquez et retournez vers l'intérieur, faites une couture à 3 mm (soutien). Posez deux agrafes pour fermer la taille. Cousez la fermeture sous la bande élastique. Une telle bande est merveilleuse, car elle permet de rétrécir un vêtement un peu trop large.

## EMBU

Légère ampleur que l'on fait disparaître au fer et à la pattemouille, lorsqu'on doit assembler deux bords de différentes longueurs (pour une manche, par exemple). Passez d'abord un fil de fronce sur la partie la plus longue, puis tirez ce fil pour ajuster la longueur à la partie courte. Utilisez la vapeur pour répartir l'embu en travaillant sur un coussin de tailleur si le bord est courbé et avec une pattemouille pour un maximum d'humidité, mais sans toucher le tissu avec le fer. Laissez sécher sur le coussin avant l'assemblage. Cette opération se fait plus facilement sur un lainage ou un tissu mou que sur une cotonade raide ou un taffetas.

- Les tissus que l'eau tache ne supportent pas cette opération.

## EMMANCHURE (OU ENTOURNURE)

Ouverture d'un vêtement par lequel passe le bras; endroit où la manche est attachée au corsage par une couture.

### *Emmanchure à même*

Corsage qui se prolonge plus loin que l'épaule.

### *Emmanchure américaine*

Corsage sans manches à découpe oblique, de l'aisselle à l'encolure, laissant voir l'épaule. Voir *Doublure.*

## EMPESAGE

Certains tissus sont vendus empesés, ce qui leur donne du corps et une meilleure apparence. Ces tissus ne sont pas très durables. On peut vérifier qu'il y a eu empesage en frottant un coin du tissu: on verra s'échapper une légère poudre blanche. Ces tissus s'affaissent à la longue, et on ne les recommande pas pour les vêtements à usage quotidien. On s'en servira pour les vêtements occasionnels et les costumes d'Halloween.

## EMPIÈCEMENT CLASSIQUE

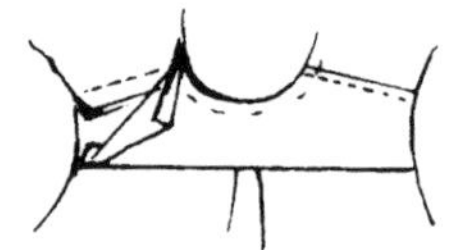

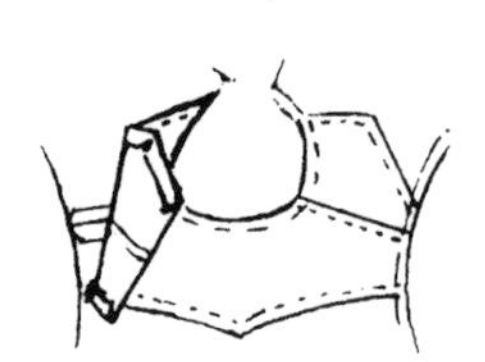

Utilisé pour la confection de la chemise masculine. Il s'agit d'un morceau de tissu servant de renfort et de décoration aux épaules, le devant et le dos faisant partie intégrante du vêtement. Dans le style Western, l'empiècement est posé en appliqué et est plus décoratif.

## ENCOCHER ET ENTAILLER

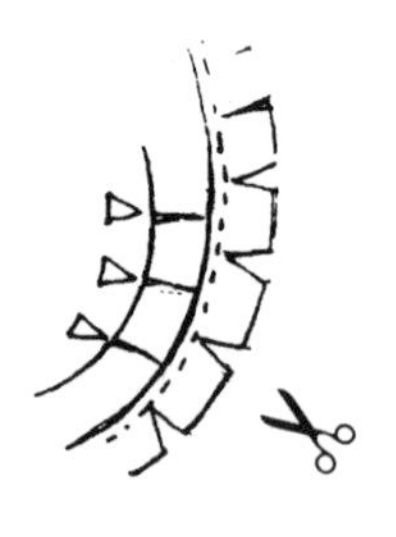

Encochez et entaillez les valeurs de couture dans les courbes pour pouvoir les coucher à plat.

- Quand les deux parties se font face, évitez d'affaiblir les coutures, en ne les plaçant pas vis-à-vis.

### *Encoches*

Triangles enlevés à la ressource des parties concaves (coup de ciseaux dans la valeur de couture à environ 3 mm de la couture).

*Entailles*

Incisions des parties convexes (attention à la piqûre de soutien).

## ENCOLURE

Ouverture du vêtement par où passe la tête, qui peut avoir différentes formes, habituellement plus profonde devant à cause de la position du cou.

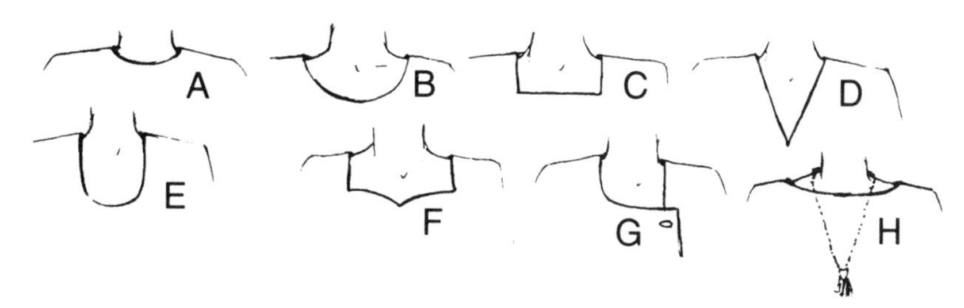


*Encolure bateau* (H)

Dégage les épaules en s'effilant en pointes à divers degrés sur les épaules. Elle élargit la ligne d'épaules et raccourcit le cou. (On peut porter un collier en sautoir pour contrer cette illusion d'optique.)

*Encolure carrée* (C)

Accentue les mâchoires carrées et convient mieux au visage ovale ou rond.

*Encolure en cœur* (F)

Rappelle celle du cœur avec ses courbes, elle donne une allure romantique.

*Encolure en U* (E)

Aux côtés droits et bas arrondi, ou en fer à cheval, côtés et bas arrondis.

*Encolure en V ou en pointe* (D)

Allonge la figure et fait paraître le cou plus délicat. Elle peut être plus ou moins dégagée ou plongeante.

*Encolure ronde* (A)

Elle est au ras du cou; elle convient au cou court et au visage rond. Dégagée, elle accentue la rondeur de la figure et du corps et fait paraître le cou plus mince.

*Encolures asymétriques* (G)

Elles sont des plus originales et variées.

*Encolure trop serrée*

On abaisse la ligne de couture de la base du cou jusqu'à ce qu'elle convienne. (Rectifiez aussi la parementure.) (A)

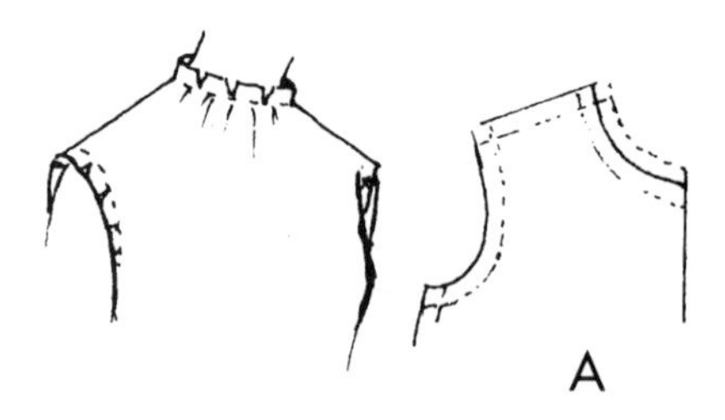


*Encolure trop évasée*

On ajoute un biais de même tissu, taillé en forme, qui refermera l'encolure. (B)

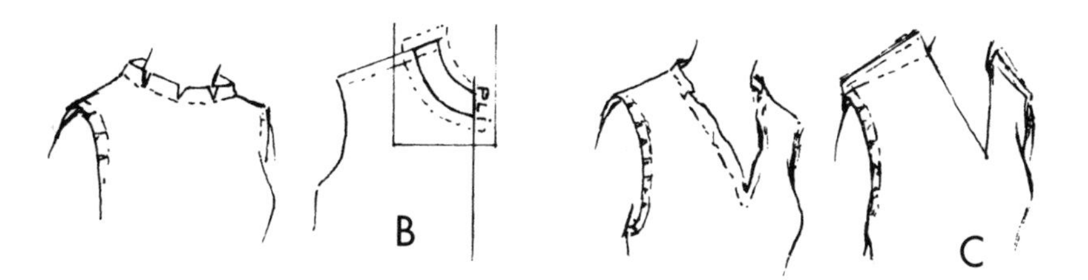


*Encolure en V qui ondule*

On relève la couture d'épaule et on enlève le surplus, jusqu'à ce qu'elle colle bien. (C)

*Si vous voulez agrandir l'encolure et la carrure*

Éloignez le patron du pli du tissu à l'encolure, en laissant la taille à sa place, si cette dernière ne nécessite aucune modification.

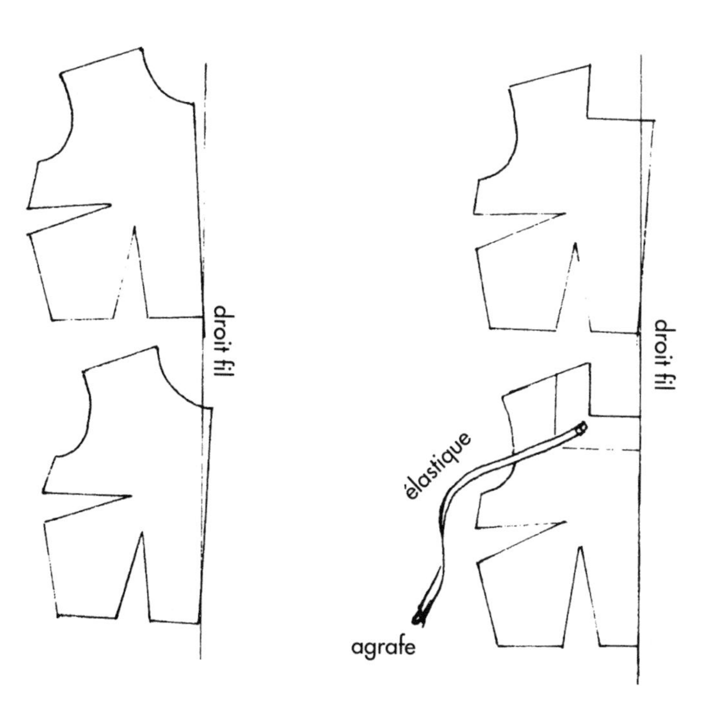

*Pour diminuer l'encolure*

Pliez le patron à la médiane en allant à rien vers la taille. Ce pli devient votre nouveau droit fil. Ces retouches doivent être minimes.

*Pour empêcher une encolure carrée de s'évaser*

Réduisez le droit fil de 6 mm ou encore posez des élastiques dans les coins et attachez-les au dos.

**ENFANT**

Il est très agréable de faire de la couture pour les enfants, car on peut se permettre beaucoup de fantaisie. Ce type de vêtements doit toutefois être très résistant (leurs jeux sont parfois assez violents) et d'entretien facile (laver-sécher) avec peu ou pas de repassage.

- Au moment de choisir un patron, fiez-vous davantage aux mesures plutôt qu'à l'âge.
- Choisissez des vêtements de couleurs vives, et des motifs gais mais pas trop gros.
- Ajoutez des poches, les enfants adorent y cacher des trésors.
- Les finitions à la machine sont plus solides, et les coutures doubles dureront plus longtemps.
- Les jupes et les pantalons montés sur élastiques s'enfilent plus facilement.
- Les fermetures éclair à grosse languette, les gros boutons à quatre trous, les boutons-pression exigent moins de dextérité à l'enfant.

- Montez les manches avant de fermer la couture sous les bras, cela est plus facile pour les vêtements plus petits.
- Modifiez un vêtement que vous voudrez passer du plus vieux à un enfant cadet, il aura l'impression de l'étrenner à son tour.
- Voir *Accroc, Boutons, Ignifugation, Pantalon, Raccourcir, Rallongement.*

## ENFILAGE

### *Préparation à la couture*

Enfilez le fil dans la machine correctement en suivant bien le manuel d'instruction (aucune variante n'est permise).
Le point ne se formera pas:

- si l'aiguille ne convient pas à votre machine;
- si le fil est sorti de l'aiguille;
- si l'aiguille est enfilée dans le mauvais sens;
- si l'aiguille est posée à l'envers ou pas assez au fond;
- si la machine est mal enfilée.

Si elle se désenfile: c'est que trop peu de fil a été tiré à travers le chas, avant de commencer la couture.

## ENFILE-AIGUILLE

Petit outil très utile qui facilite l'enfilage de l'aiguille. Placez le losange métallique dans le chas de l'aiguille, introduisez le fil à coudre à l'intérieur, tirez et le tour est joué.

Il existe aussi un petit appareil dans lequel on place le fil et l'aiguille, on presse sur un bouton et l'aiguille sort enfilée.

## ENFOURCHURE (VOIR *FOURCHE*)

Partie échancrée du pantalon qui va de la pointe de la fourche jusqu'à la ceinture, devant et derrière.

## ENSEMBLE

Vêtements composés d'au moins deux morceaux agencés, conçus pour être portés en même temps, et créer une harmonie par la teinte ou le tissu.

## ENTOILAGE

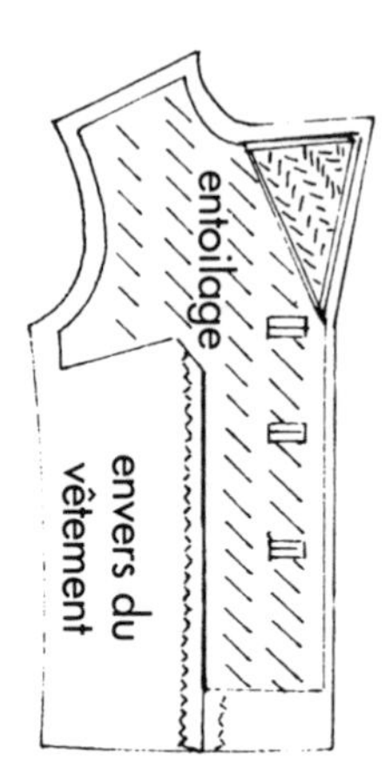


Tissu placé entre la parementure et le vêtement afin de donner de la forme et de la raideur. Au moment de l'achat, vérifiez si le tissu correspond à l'usage que vous voulez en faire: est-il à sec?

### *Entoilages à appliquer au fer* (OU THERMOCOLLANTS)

- Les entoilages non tissés donnent de bons résultats pour les poches, les ceintures, les garnitures. On les coupe sans valeur de couture.
- Les entoilages tissés sont plus souples et on les préfère pour les cols, les poignets, les boutonnages. On les coupe dans le même sens que le tissu du vêtement, avec valeur de couture.

- Les deux types conviennent aux tissus épais ou moyens.
- Appliquez l'entoilage à la parementure plutôt qu'au vêtement.
- Placez le côté brillant sur l'envers du tissu.
- Utilisez le fer le plus chaud possible pour le type de tissu.
- Pressez à sec, sans glisser le fer.

*Point d'entoilage*

- Ce point est utilisé dans la façon tailleur pour fixer de manière permanente l'entoilage au tissu extérieur (inversif à l'endroit).
- Des points petits et rapprochés contribuent à mouler et à maintenir la forme de certains morceaux d'un vêtement (col, revers).
- Les points longs ne servent qu'à fixer l'entoilage. Ils ressemblent aux points de bâti obliques, mais ils sont permanents et plus courts.

*Points d'entoilage, en chevron*

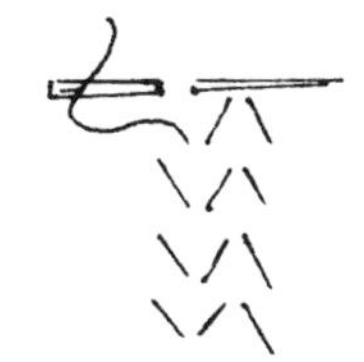

- Le premier rang se fait de haut en bas.
- Le deuxième rang se fait de bas en haut.

*Points d'entoilage, parallèles*

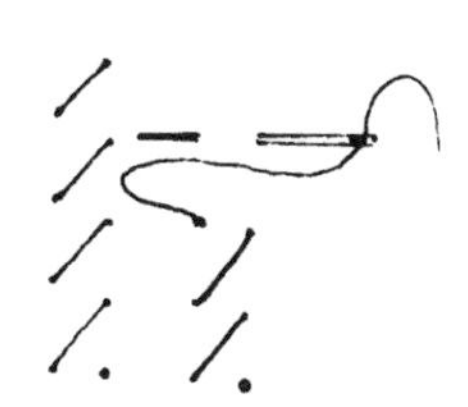

- Ils sont tous orientés dans le même sens.

## ENTREDOUBLURE

Étoffe placée entre le doublure et le vêtement. Elle sert à donner plus de chaleur et de tenue. Elle doit être légère et mince, les plus populaires sont en laine d'agneau, en molleton polyester non tissé et en kasha. Vous pouvez aussi utiliser certaines finettes ou lainages minces, certains matelassés et autres doublures isolantes.
Le vêtement une fois terminé doit avoir assez d'ampleur pour ne pas gêner les mouvements.
On peut appliquer l'entredoublure sur la doublure ou directement sur le vêtement.

## ENTRETIEN

Il est nécessaire de connaître la nature de la fibre du tissu pour déterminer l'entretien du vêtement. Voir *Étiquette*.

## ENVERS, ENDROIT

Quand le sens est difficile à identifier, on peut considérer que l'endroit est le côté se trouvant à l'intérieur d'une étoffe en lainage vendue pliée en deux. Pour le coton l'endroit se trouve à l'extérieur. Pour un imprimé, les motifs sont plus nets sur l'endroit, le côté le plus pâle est l'envers.
Pour un tissu uni, vérifiez qu'il n'y ait pas de petits nœuds apparents ou d'autres imperfections. La lisière du tissu est plus lisse sur l'endroit.
Certains tissus sont aussi beaux à l'endroit qu'à l'envers.

- Dans le plan de coupe, on place quelquefois un patron sur l'envers; surveillez les lignes obliques sur les plans de coupe.

## ÉPAULES

*Retouche du patron avant la coupe*
(VOIR ILLUSTRATIONS A, B, C, D, E)

A Pour agrandir la largeur d'épaule, sans changer l'emmanchure, coupez le patron du milieu de la largeur d'épaule vers la pointe du buste et du milieu de l'emmanchure dans la même direction.

B Pour diminuer la largeur d'épaule, allez du milieu de la largeur de l'épaule, vers le buste. Faites un pli dans le patron en allant à rien devant et dos.

C La couture d'épaule est trop longue (si on n'utilise pas d'épaulette) quand elle dépasse la pointe de l'épaule: la tête de manche pend et des plis obliques apparaissent sur le corsage. Diminuez la longueur de la couture, corrigez la courbe, dos et devant.

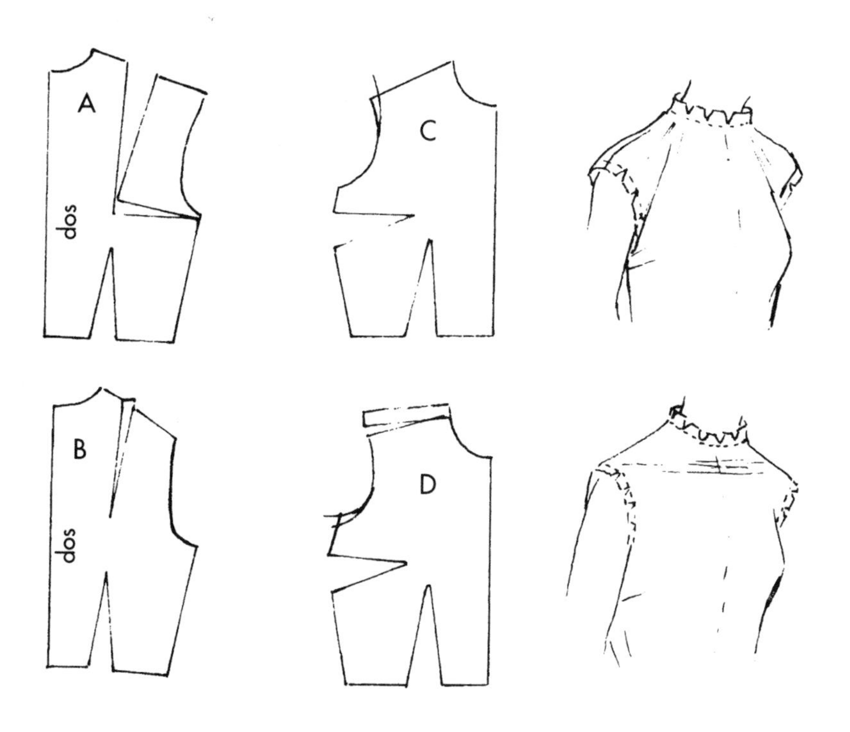

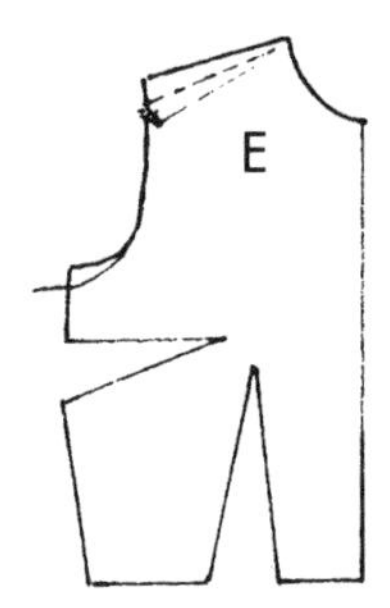

D Si la couture d'épaule tire, le tissu est trop tendu et des plis se forment sous l'encolure du devant vers la pointe des épaules. Reprenez le patron, relevez la couture de l'épaule en fendant le patron comme indiqué et corrigez l'arrondi de l'entournure.

E Si la couture d'épaule est trop droite, des faux plis se forment sous l'épaule et sous l'entournure près de la poitrine par rapport à la ligne d'épaule. Faites une pince dans le patron de l'emmanchure en allant à rien vers l'encolure et baissez la courbe de l'emmanchure de la valeur enlevée au haut. Corrigez avec pistolet (règle courbe).

## ÉPAULETTE

Rembourrage en demi-cercle cousu à l'épaule d'un vêtement. Elle élargit l'épaule, et de ce fait, amincit les hanches tout en donnant une allure très seyante.
On peut s'en servir pour égaliser des épaules différentes ou redresser des épaules trop tombantes.
Parfois, la mode exagère un peu ce point et on jugera avec un œil critique la silhouette à habiller.

## ÉPINGLE

- Une boîte aimantée distributrice d'épingles permet d'avoir toujours une épingle sous la main, et il n'est pas besoin de la mettre dans sa bouche. Voir *Pelote à épingles.*
- Pour faire un travail soigné, les épingles droites doivent être fines, en acier qui ne plie pas, et mesurer environ 3 cm. Achetez-les dans un magasin spécialisé pour qu'elles soient d'excellente qualité.
- Avant de vous en servir dans un tissu délicat, on recommande de les piquer dans un savon, pour qu'elles ne tirent pas de fil ni laissent de marques.
- Les épingles risquent de laisser des taches de rouille si elles sont trop longtemps épinglées dans un tissu.
- Les épingles à ressort (ou de sûreté) ont souvent l'inconvénient de se coincer dans le tissu. Pour éviter cela, placez un petit bouton à chemise près du ressort.
- Épinglez toujours avant de faufiler, à plat sur une table (en faisant coïncider les crans et les repères).
- Placez un tissu lisse sur la planche à tailler et épinglez-y le tissu à tailler afin qu'il ne glisse pas.

## ÉPONGE

On s'en sert pour éponger ou humecter les tissus lors du pressage d'un pli bien marqué.

## ÉQUILIBRE

C'est la juste combinaison des éléments qui composent une tenue et qui nous met à l'aise en la portant. Voir *Harmonie.*

## ESQUISSE (VOIR *CROQUIS*)

C'est une bonne idée que de faire des esquisses du vêtement que l'on veut fabriquer en y ajoutant des variantes. On évite ainsi des erreurs coûteuses avec le tissu, surtout quand on n'a pas un patron précis. Vous pouvez ainsi juger de l'allure de l'ensemble.

## ESSAYAGE DU PATRON

Si vous vous servez d'un patron commercial pour fabriquer vos vêtements, choisissez-le de la taille la plus près de vos mesures, et faites les corrections nécessaires comme: la largeur des épaules, l'échancrure de l'encolure, la largeur du corsage, le tour de taille et des hanches, l'emmanchure, de même que la tête de manche qui correspond, fourche du pantalon, longueur de la manche et de la jupe...

## ESSAYAGE DU VÊTEMENT

L'essayage du vêtement se fait à l'endroit. S'il y a correction à une manche ou à une épaule, il faut qu'elle soit faite sur le bon côté.
Faites-vous ajuster par une autre personne, devant un miroir. Pour l'essayage, portez les sous-vêtements que vous porterez avec ce vêtement, et les souliers avec la hauteur de talon que vous porterez.
Au premier essayage, ajustez les coutures faufilées de la taille et des manches. Placez un élastique à la taille afin de vérifier si elle est bien à sa place.
Un vêtement trop serré dévoile les défauts de la silhouette.

## ÉTIQUETTE

Lisez toujours les étiquettes, car elles nous renseignent sur la nature du tissu, les traitements qu'ils ont subis et leur entretien, le pays de provenance et le manufacturier.
On y accordera autant d'importance pour un vêtement prêt-à-porter ou un tissu vendu au mètre.
Gardez ces renseignements dans un calepin réservé à cet usage.

## ÉTOFFE (VOIR *TISSU*)

Fibre textile tissée, tricotée ou moulée (terme général).

## EXCLUSIVITÉ

Faire ses propres vêtements permet de produire des pièces uniques, même si l'on se sert d'un patron commercial. Les interprétations et les modifications qu'on aura faites au modèle donneront un vêtement différent, et vous serez certaine de ne pas voir un vêtement identique lors d'une sortie avec vos amis. Cela est encore plus vrai si vous créez vos propres patrons.
L'exclusivité, c'est la plus motivante des raisons de faire ses propres vêtements, la deuxième étant l'économie!

## EXTENSIBILITÉ

Propriété de s'étirer qu'ont certains tricots ou tissus taillés sur le biais. Pour mesurer le degré d'extensibilité, prenez un morceau de tricot de 10 cm, étirez-le au maximum. S'il s'allonge de moins de 2,5 cm, on dit que son extensibilité est légère. Elle est moyenne autour de 2,5 cm, et grande si elle est plus près de 5 cm.

Vérifiez si le tricot revient à sa taille d'origine, sinon il s'affaissera à l'usage et perdra de son élégance.

## **FAUFIL** (OU BÂTI)

Le faufil est un point provisoire, utilisé pour tenir ensemble les morceaux d'un vêtement pour l'essayage. Il se fait sur la ligne de couture. Ce point exige une aiguille plus longue qu'à l'ordinaire pour le faufil manuel. Ce travail se fait bien à plat sur une table, pour que le tissu ne s'étire pas mais aussi parce que cela est plus rapide et plus facile. Le faufil peut aussi se faire à la machine avec de grands points.

### *Point de faufil manuel*

Un grand point (1,25 cm) suivi de deux petits (6 mm).

## **FENTE**

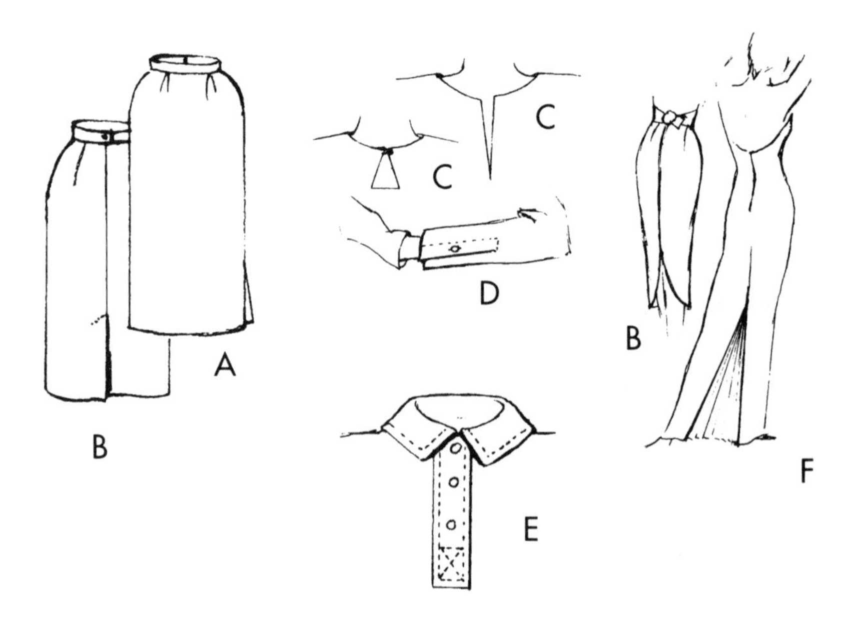

*Fente latérale* (A)

Ouverture au bas d'un vêtement dans le prolongement des coutures de côté, formée par l'arrêt de la piqûre. Pour plus de solidité, faites quelques points sur l'envers. Vous pouvez aussi broder un petit triangle d'arrêt sur l'endroit du vêtement, ou poser un appliqué en cuir surpiqué pour renforcer ce point fragile.

*Fente médiane* (B)

Même chose, mais située à la médiane du dos ou du devant. Les deux parties de la jupe peuvent se toucher bord à bord, ou se superposer, ce qu'on appelle aussi pli d'aisance. Faites une couture oblique au haut, pour maintenir les morceaux en place.

*Fente simple dans une encolure* (C)

On la finit en lui cousant une parementure en forme.

*Fente au bas d'une manche* (D)
Voir *Patte.*

*Fente boutonnée dans une encolure* (E)
Voir *Patte.*

*Fente droite dans un vêtement* (F)

Ouverture, pas nécessairement dans la couture, permettant de poser une fermeture éclair ou un godet à un vêtement.

## FER À REPASSER

### *Conseils d'achat*

- Le fer le plus pratique permet de repasser à sec ou à la vapeur et d'asperger.
- Pour un meilleur traitement, on devra disposer d'une vaste gamme de températures et d'un arrêt automatique.
- Les nouveaux fers sont munis d'un système antitartre. (Ils sont autonettoyants.)

### *Conseils d'entretien*

- Pour ne pas que les différents apprêts s'encroûtent sur la semelle de votre fer et y brûlent, et qu'ensuite ils marquent les tissus, utilisez une pattemouille entre le fer et les tissus apprêtés.
- Pour nettoyer un fer à repasser rouillé, enveloppez un morceau de cire d'abeille dans un linge et frottez le fer chaud. Versez un peu de sel sur un chiffon propre et récurez la surface. Il deviendra propre et luisant.
- Si votre fer à repasser est devenu collant, après que vous ayez repassé un tissu empesé, faites-le glisser sur un morceau de papier d'aluminium, du papier de verre très fin ou du papier saupoudré de sel fin. Si votre fer a une semelle de téflon, n'utilisez que du papier ciré.
- Éliminez les dépôts de calcaire sur la semelle du fer avec un tampon imbibé de vinaigre (à froid) et non des abrasifs.
- Pour garder votre fer propre, essuyez-le de temps en temps avec du vinaigre. La semelle de votre fer doit toujours être propre et lisse.

- Si votre fer rouille, frottez-le avec du gros sel puis un peu d'huile.
- Ne jamais débrancher votre fer en tirant sur le fil, cela étant d'ailleurs valable pour tous les appareils électriques.

## FERMETURE À GLISSIÈRE (OU FERMETURE ÉCLAIR)

Les fermetures sont vendues dans une grande variété de couleurs, de poids ou de tailles. Il en existe quatre types.

### *Fermeture classique*

Elle s'ouvre à une extrémité seulement. La fermeture à dents de métal résiste bien à la chaleur; celle à rouleau est plus légère et plus souple et ne rouille pas.

### *Fermeture fermée aux deux extrémités*

Insérez-la dans une fente latérale, à la taille d'un vêtement ajusté. Bloquez la fermeture par des points roulés 6 mm au-dessus du cran d'arrêt. Pour assouplir, réduisez la valeur de couture à la taille, sous la fermeture.

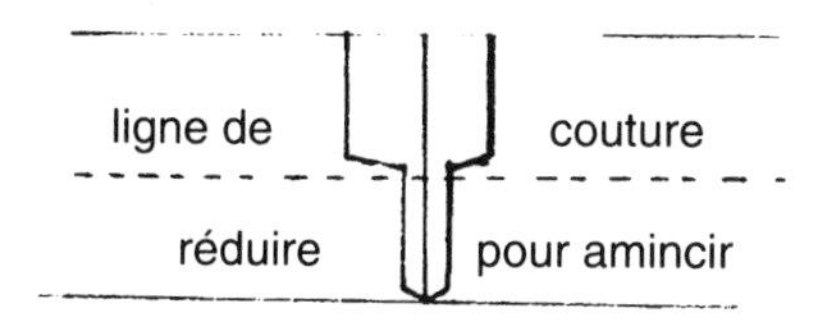


### *Fermeture invisible*

Elle présente une meilleure apparence et sa pose nécessite un pied spécial (suivre les instructions du manufacturier), seule la languette est visible.

*Fermeture séparable*

Placez-la sous rabat ou centrez-la pour des vêtements qui s'ouvrent complètement. Posez-la avant de faire les parementures et les ourlets.

REMARQUES

Choisissez la fermeture en fonction de la forme du vêtement.

Prévoyez-la assez longue pour un enfilage plus facile du vêtement.

Choisissez de préférence une fermeture à bloquage automatique.

Si vous appliquez un peu de cire sur l'envers d'une fermeture éclair, elle glissera plus facilement.

Lavez autant que possible la fermeture à l'eau chaude du robinet avant de vous en servir. Laissez-la sécher à l'air. Elle ne se déformera plus.

Ne posez jamais le fer à repasser directement sur une fermeture; utilisez une pattemouille si nécessaire.

biais

Si les valeurs de couture ne sont pas assez larges, cousez un biais double au bord de chacune d'elles.

Préfinissez toujours les bords avant d'y poser la fermeture.

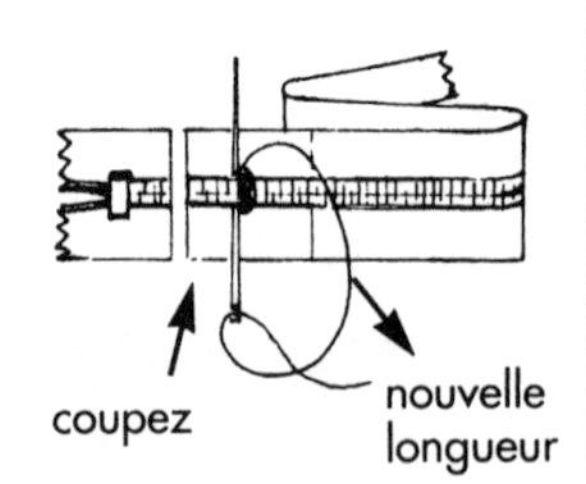


Pour raccourcir une fermeture, exécutez plusieurs points roulés autour des griffes. Coupez 2,5 cm plus bas que la nouvelle longueur.

Arrêtez la couture normale par un point d'arrêt et continuez de coudre à grands points (4 mm) plutôt que de faufiler.

Vous pouvez entailler le fil de dessous, celui de la canette, tous les 2,5 cm, pour qu'il s'enlève plus facilement.

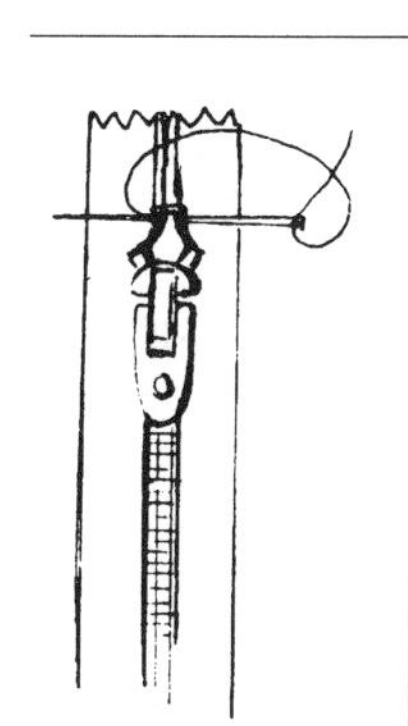

Repassez la couture ouverte, avant d'y poser la fermeture.

Pour une encolure, laissez la place pour une agrafe au haut de la fermeture.

Pliez à angle les bouts des rubans, et coupez l'excédent.

Pour une finition soignée, vous pouvez poser une sous-patte en ruban (gros grain 2,5 cm) ou en tissu. Repliez le haut, piquez à la ressource de gauche et au bas. Posez un bouton-pression au haut de la sous-patte. Cette sous-patte protège la fermeture et l'empêche d'accrocher la peau ou le sous-vêtement.

## *Méthodes d'application*

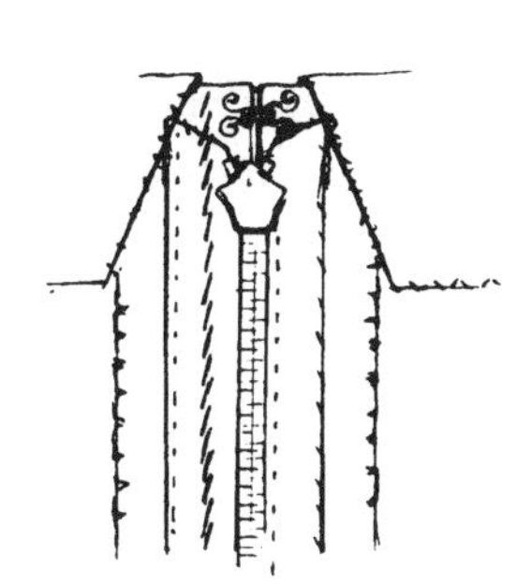

Je conseille de poser la fermeture moitié à la machine, sur les valeurs de couture pour la solidité, et moitié à la main à points invisibles pour une belle finition sur la partie visible du vêtement.

### FERMETURE CENTRÉE

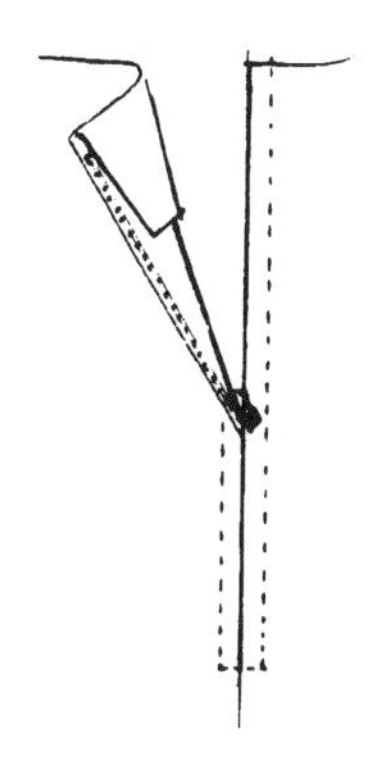

Placez la glissière sur l'envers, sur le milieu de la couture. Épinglez. Cousez ensemble, valeur de couture et ruban de fermeture sur la ligne de couture de la fermeture, avec pied ganseur, de bas en haut, de chaque côté. Finissez avec points arrière invisibles. Travaillez sur le dessus du vêtement en piquant à travers toutes les épaisseurs, avec fil double et à points invisibles.

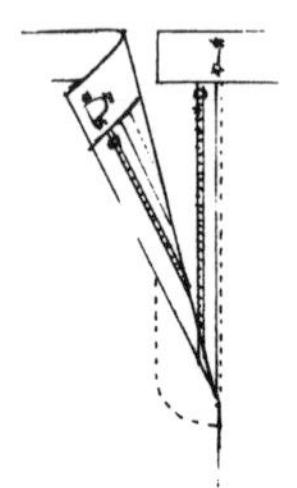

FERMETURE SOUS BRAGUETTE

Suivez les instructions sur le patron.

FERMETURE SOUS RABAT

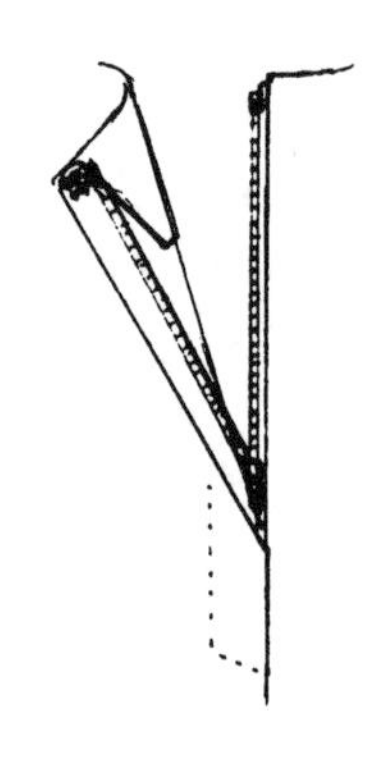

Cousez ensemble fermeture et parement, le petit côté près des griffes. Pressez pour placer les fils. Bougez le centre de 3 mm sur l'autre côté puis pressez. Cousez à la machine le deuxième côté à 3 mm du ruban du fermoir. Finissez avec des points arrière invisibles toutes les épaisseurs, avec du fil double. Ne pressez pas mais faufilez les bords des rubans pour une belle finition. Solidifiez les bouts repliés du haut. Défaites la couture en vous servant de l'outil à défaire les coutures.

## FIBRES

Éléments filamenteux allongés d'origine naturelle ou non, avec lesquels on fait des fils à tisser, à tricoter, ou simplement à être foulés (feutre). Les fibres naturelles (coton, lin, laine, soie) sont plus confortables que les fibres synthétiques parce qu'elles respirent, c'est-à-dire qu'elles laissent circuler l'air, s'assèchent vite, et les huiles naturelles qu'elles contiennent les rendent relativement imperméables. (L'eau perle dessus avant de s'imprégner et il suffit de secouer le vêtement pour l'en chasser.) Il y existe deux sortes de fibres, les longues et les courtes.

- Les fibres longues sont de meilleure qualité. Elles servent à fabriquer des tissus plus lisses et de meilleure torsion, ce qui les rend plus résistants, par exemple: percale, gabardine.
- Les fibres courtes servent à faire des tissus plus communs, plus duveteux, par exemple: finette, suèdine.
- Les fibres chimiques synthétiques (nylon, polyester, vinyle...) sont peut-être plus faciles d'entretien, mais elles font transpirer, ce qui les rend moins confortables.
- Les fibres artificielles (acétate, rayonne, viscose) fibres à base naturelle mais transformées chimiquement, sont de résistance moyenne et les tissus faits de ces fibres nécessitent un repassage humide.

### *Mélanges de fibres*

Des fibres différentes peuvent être filées de manière à former un seul fil avant la fabrication du tissu ou être filées sous forme de brins différents ou mélangées lors du tissage ou du tricotage. On peut ainsi réunir les qualités des différentes composantes pour répondre à des besoins particuliers et en contrer les défauts. Voir *Entretien, Étiquette, Symboles.*

## FIL

Brin d'une longueur continue, constitué de fibres maintenues ensemble par une torsion plus ou moins forte, d'une matière textile naturelle ou non, propre à être tissée, tricotée, brodée ou cousue. Son diamètre (titrage) varie selon l'usage auquel on le destine. Il existe aussi des fils apprêtés (mercerisés, glacés) et des fils composés de matières différentes, des fils texturés (pour tissage), à deux plis (pour surjeter et faufiler), à trois plis (pour tout usage), à quatre plis (pour chaussures et rembourrage), et le monofilament (fibre unique synthétique sortant de filières) dont les différentes formes lui confèrent des caractéristiques particulières.

- N'essayez pas de casser un fil; coupez-le toujours de biais avec des ciseaux.
- Choisissez toujours votre fil d'une couleur légèrement plus foncée que le tissu.
- Quand vous cousez à la main, ne prenez pas d'aiguillées trop longues dites «de paresseuse». La longueur idéale est de 50 cm (20 pouces) seulement.
- Un fil double a tendance à se nouer.
- Pour enfiler plus facilement, placez le chas de l'aiguille devant un papier blanc.
- Il est facile d'enfiler la laine et le coton à repriser dans l'aiguille si on savonne légèrement l'extrémité du brin.
- Pour empêcher le fil de faire des vrilles et de se nouer, passez votre aiguillée sur un morceau de savon, un bout de chandelle, ou mieux de la cire d'abeille.
- Mariez toujours fil, tension, aiguille, tissu, pour avoir un point régulier et éviter les ennuis.
- Utilisez la même sorte de fil pour la bobine et la canette.
- Pour éviter que la bobine ne se déroule, collez le fil avec un ruban gommé, si l'entaille prévue à cette fin a disparu.
- Comptez deux bobines de 100 m chacune pour confectionner une robe.
- Pour coudre tartan, pied-de-poule, tissu chamarré, vous pouvez assortir les fils de la bobine et de la canette de tons différents les plus près de ceux du tissu.

- Pour cacher les nœuds du départ et de la fin, tirez le premier point dans un pli de tissu (couture à la main).
- Le fil pour coudre le vêtement doit s'adapter au poids et aux fibres du tissu.
- Le fil et le tissu doivent si possible, être de même nature.
- Les tricots et les lainages (qui sont des tissus extensibles) auront avantage à être cousus avec du fil synthétique.
- On trouve du fil aux diamètres suivants: A-fin, D-gros, 50-moyen.

## *Choix du fil*

### À BÂTIS

En coton, torsion lâche, se casse facilement. Le blanc ne risque pas de tacher. On trouve différentes couleurs de ce fil, à bas prix. Choisissez une couleur contrastante pour mieux le voir.

### À BOUTONS

Polyester recouvert de coton, épaisseur nº 16, fil glacé et résistant. Il glisse facilement dans les tissus lourds.

### À BRODER

Coton-rayonne, six brins tordus lâchement, se séparent au besoin.

### À MATELASSER

Coton glacé nº 40.

ÉLASTIQUE

Caoutchouc recouvert de coton-nylon, très épais et extensible pour froncer à la machine (enroulez dans la canette seulement).

EXTRA FIN

Coton, polyester, polyester recouvert de coton, n° 60, pour travaux délicats (lingerie).

MÉTALLIQUE

Synthétique métallisé, luisant or ou argent, pour couture décorative main ou machine.

POUR COUDRE LES BOUTONS DE MÉTAL

Utilisez le fil de chèvre *Button Hole Twist* et passez-le ensuite à la cire d'abeille.

RÉSISTANT

Coton, polyester, polyester-coton, fil grossier n° 40, pour coudre vinyle, étoffe à manteaux et tissu d'ameublement.

SOIE RETORSE

Soie solide D, pour le surpiquage, les boutonnières tailleur brodées à la main, la couture décorative et la pose des boutons sur tissu épais.

REMARQUE

Le fil polyester ou poly recouvert de coton peut être utilisé sur tous les tissus, mais le fil de coton ne peut l'être que sur les tissus naturels.

## *Usage général*

### COTON

(n° 50 moyen). Vaste choix de couleurs, pour la couture à la main ou à la machine, habituellement mercerisé (ce qui le rend plus doux, plus fort, lustré et plus facile à teindre) pour les tissus naturels, à éviter pour les tricots et les tissus extensibles, les points se briseraient.

### NYLON

Fil fin (A). Résistant, pour couture à la main ou à la machine, des tissus synthétiques légers ou moyens (tricot de nylon, par exemple).

- J'éviterais d'utiliser le monofilament rigide et transparent, il peut causer des irritations.

### POLYESTER

(n° 50). Fil tout usage pour la plupart des tissus (tissés, tricots), recouvert d'un fini à la cire ou au silicone, il glisse bien dans le tissu.

### POLYESTER RECOUVERT DE COTON

(n° 50). Fil tout usage pour couture à la main ou à la machine, (tricots ou tissés) fibres naturelles, synthétiques ou mélangées. L'âme (au centre) de polyester donne au fil résistance et élasticité; l'enveloppe de coton lui donne une surface solide et ignifugée.

### SOIE

Fil fin A. Résistant, pour coudre à la main ou à la machine les soieries et les lainages délicats. Il est si fin qu'il ne laisse pas de trace de couture ni d'empreinte au repassage. Élastique, la soie convient aux tricots. On la recommande pour les vêtements tailleur, car elle adhère bien aux tissus.

## *Fil et machine à coudre*

### SI LE FIL VRILLE AU DÉBUT D'UNE COUTURE

Vérifiez l'enfilage de la machine.

### SI LE FIL OU LE TISSU EST ENTRAÎNÉ VERS LA CANETTE

Tournez le volant à plusieurs reprises et dégagez le tissu. Pour empêcher que cela ne se produise, placez l'aiguille dans le tissu avant d'abaisser le pied presseur, tirez les deux fils en oblique vers l'arrière et tenez-les pour les premiers points. (Ne reculez pas sur les tissus glissants ou mous.)
Vérifiez la plaque dont le trou n'est pas adéquat sur certaines machines à coudre.

### SI LE FIL S'EMMÊLE PENDANT QUE VOUS COUSEZ

- Nettoyez d'abord la navette et ce qui l'entoure si la charpie se prend dans la couture.
- Mettez du fil dans la canette.
- Vérifiez si la tension ou l'enfilage est défectueux.
- Changez la plaque à aiguille si elle est inadéquate.
- Faites vérifier le moteur qui peut être déréglé (faites appel à un professionnel).

### SI LE FIL S'EMMÊLE À LA FIN DE LA COUTURE

- Le tissu et le fil sont poussés vers la canette et font des nœuds. Tournez le volant à diverses reprises, pour dégager, enlevez les nœuds.

- Ne continuez pas la couture à l'extérieur du tissu, des nœuds peuvent se former sous la plaque.

SI LE FIL DE LA BOBINE SE ROMPT

- Remettez l'aiguille en place ou réenfilez-la.
- Déracinez le fil de l'encoche de la bobine ou autour de la broche.
- Vérifiez si le chas de l'aiguille ou le trou de la plaque sont abîmés. Remplacez les morceaux défectueux.
- Remplacez l'aiguille qui est épointée.
- Replacez l'aiguille si elle n'est pas au fond du pince aiguille.
- Changez l'aiguille, elle est trop fine pour le fil et celui-ci s'éraille. (Le fil retors à boutonnière cause souvent ce problème.)
- Changez le fil, il est vieux et desséché. (La soie et le coton deviennent cassants avec l'âge.)
- Coupez ce bout, un nœud s'est formé dans le fil.

SI LE FIL DE LA CANETTE SE ROMPT

- Replacez la navette qui n'est pas bien enfilée ou pas bien ancrée.
- Dévidez la canette qui est trop pleine.
- Nettoyez la navette de sa charpie.
- Remplacez le bord ébréché du trou de la plaque.
- Changez la tension de la canette qui est trop forte.
- Réparez la canette ou la navette qui sont endommagées (voir un spécialiste).

SI LE FIL DE LA CANETTE NE SORT PAS DU TROU DE LA PLAQUE

- Enfilez à nouveau la navette, ou mettez-la en place.
- Laissez un plus long fil sortir de la navette libre au début d'une couture.
- Refaites l'enfilage. Pour faire sortir le fil de la canette, tendez le fil d'aiguille, tournez le volant et attrapez l'extrémité du fil lorsque vous voyez la boucle.

SI LA COUTURE PLISSE

- Ajustez la tension de la machine (il faut 12 à 16 points pour chaque 2,5 cm de couture) pour coudre un tissu d'épaisseur moyenne.

## FINITION D'UN VÊTEMENT

Après avoir vérifié les modifications, faites un dernier essayage à l'endroit, pour juger de l'ensemble. Vérifiez et pressez toutes les coutures, coupez les fils. Enlevez toutes les épingles et les faufils. Un dernier pressage lui donnera un fini parfait.

## FIXATION

Pour une fixation de patte solide, surpiquez en x dans un rectangle ou un triangle.

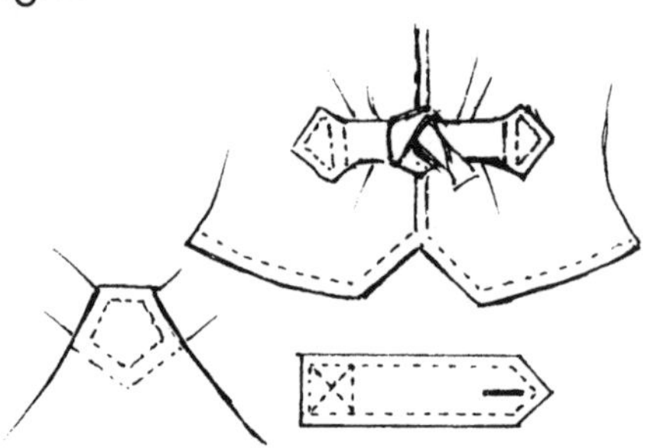

## FLÈCHE DE SENS

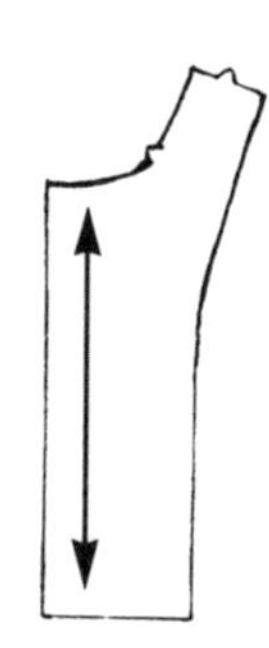

Flèche imprimée sur un patron pour indiquer dans quel sens on doit poser le patron et le tissu pour qu'ils soient droit fil.

## FORME

- Figure extérieure, aspect particulier, configuration des objets, des pièces de tissu... (carré, triangle, rectangle...).
- Manière de présenter une idée. Mettre sur papier (croquis) une idée de vêtement, c'est lui donner une forme.
- C'est aussi l'allure, ou la structure générale d'un vêtement. Voir *Ligne structurale*.

### *Col en forme*

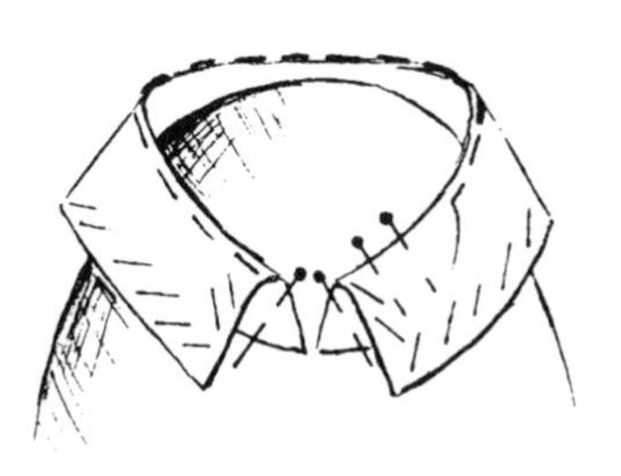

Après l'avoir entoilé, on peut donner une belle forme à un col en l'épinglant suivant la forme d'un coussin de tailleur, comme autour du cou. En maintenant le fer à vapeur au-dessus, placez la ligne de pliure ainsi que le tombant et laissez-le sécher avant de l'assembler au vêtement.

### *Forme à chapeau*

Moule de modiste pour fabriquer les chapeaux.

*Jupe en forme*

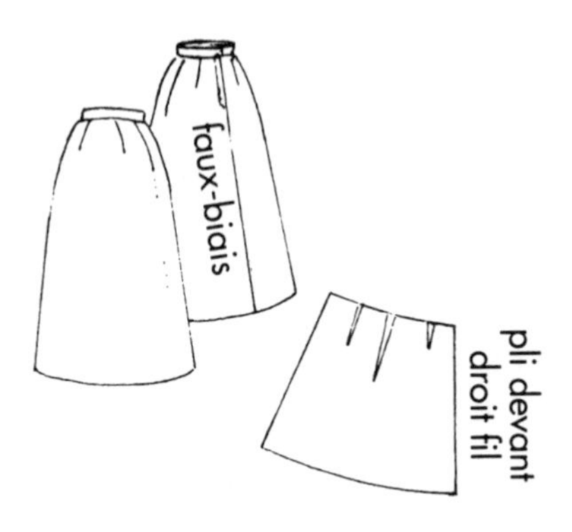


Jupe haute couture obtenue par moulage. Elle est de ligne A, droit fil devant, en biais vers l'arrière. Elle n'a qu'une seule couture, qui se trouve à l'arrière, ainsi que la fermeture. N'utilisez pas de tissu rayé ou à reflet pour ce genre de jupe.

*Parementure en forme*

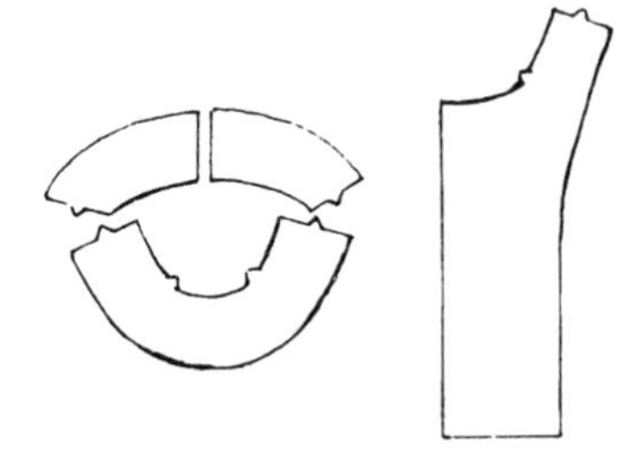

Cette parementure est taillée pour s'insérer parfaitement là où on doit la poser. Faites un patron en vous servant d'un vêtement fini auquel vous ajouterez les valeurs de couture.

## **FORME À BOTTES** (CHAT BOTTÉ)

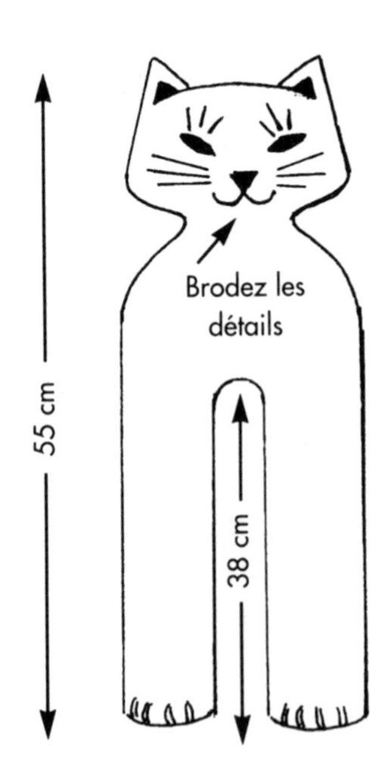


Elle permet aux bottes de rester groupées, debout tout en restant propres. Elle empêche aussi les bottes de se déformer.
Ces formes sont très pratiques et on peut les fabriquer facilement et les donner en cadeau à ses amis; elles constituent de plus, une pratique de couture pour les débutantes.
Utilisez du papier journal roulé et enveloppez-le de mousse polyester pour le rembourrer. Le papier rend la forme plus rigide que de

la mousse seulement. De plus l'encre d'imprimerie du papier chasse les mites et protège les bottes doublées de mouton.

6,5 cm Sous-pattes

Ajoutez les valeurs de couture

## FOURCHE (VOIR *ENFOURCHURE*)

### *Rectification de la profondeur de fourche*

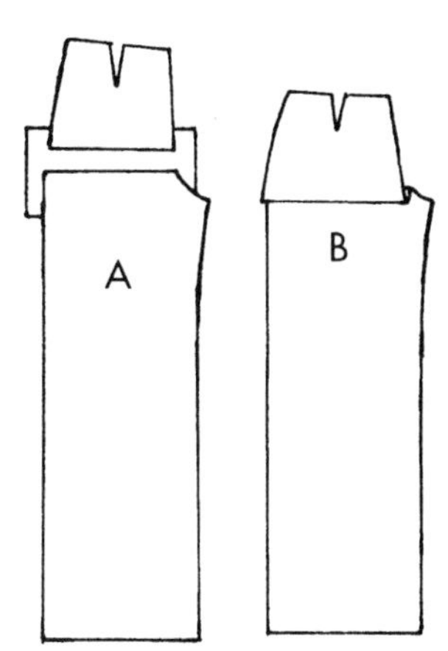


POUR ALLONGER (A)

Coupez le patron horizontalement, séparez et éloignez les parties autant que nécessaire, au dos et au devant.

POUR RACCOURCIR (B)

Pliez le patron de la moitié de la rectification désirée.

RECTIFICATION DE LA LONGUEUR DE LA FOURCHE À LA POINTE

Pour élargir le haut de la cuisse ou le rétrécir, allongez ou raccourcissez la pointe seulement.

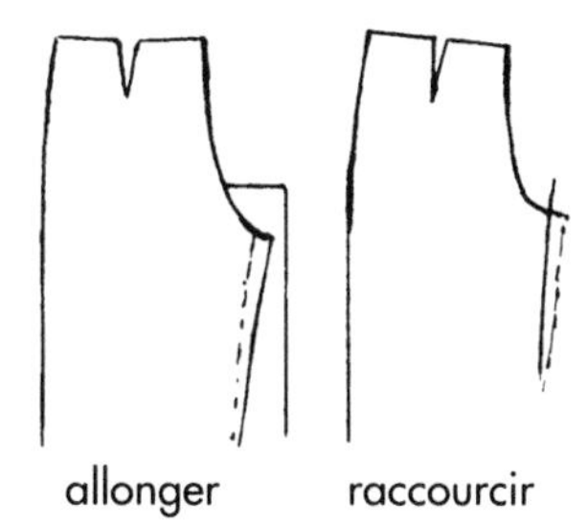


MÉTHODE DE COUTURE DE FOURCHE

Coupez horizontalement, augmentez ou réduisez à la ligne de fourche seulement. Une méthode pratique quand l'abdomen ou le postérieur sont très plats ou très proéminents. Voir *Pantalon*.

## FOURRURE

- Pour couper de la fourrure, tracez d'abord les lignes au crayon feutre à l'envers de la peau, puis coupez en vous servant d'une lame de rasoir ou d'un Exacto.
- Avant de raccommoder de la fourrure ou du cuir, cirez le fil en le frottant sur un bout de bougie: il glissera mieux et sera plus résistant. Utilisez une aiguille à fourrure à pointe triangulaire. Vous pouvez aussi poser un renfort en collant sur ces coutures un morceau de tissu sur l'envers, avec de la colle caoutchouc.

> REMARQUE
>
> La similifourrure se travaille comme un tissu ordinaire, cependant il est préférable de raser les valeurs de couture pour en amincir l'épaisseur.

## FRONCES

On appelle fronce un ou plusieurs rangs de points faits à la main ou à la machine, et que l'on peut tirer pour donner de l'ampleur.
Pressez le tissu avant de le froncer.
Pour repasser un vêtement froncé, couchez toujours les valeurs de couture dans le sens opposé aux fronces, sur la partie adjacente.

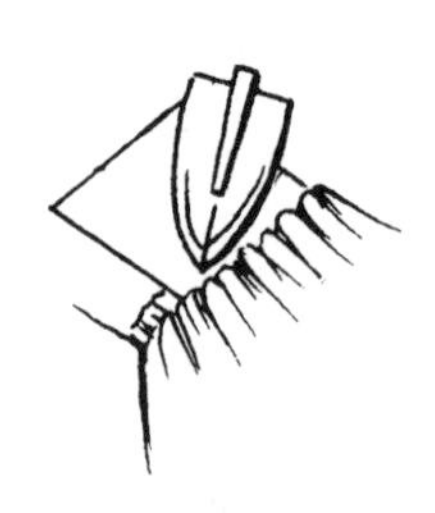

- N'aplatissez jamais les fronces au repassage, glissez le fer entre les godets à plat.

*Fronces à la machine*

Pour tissu ordinaire et léger.

- Réglez la machine sur le point le plus long (4 mm) et, au besoin, détendez légèrement la tension du fil de la bobine.
- Froncez en tirant sur les fils de canette, jusqu'à la longueur désirée.
- Si vous froncez sur deux rangs, vous piquerez la partie adjacente plate entre les deux rangs.
- Pour empêcher que le fil ne casse, choisissez un fil plus solide pour cette couture.

*Fronces à la main*

- Faites des points devant très petits de 2 mm, avec du fil solide, qui ne cassera pas lorsque vous tirerez dessus.
- Les fronces seront mieux réparties si on en fait deux rangs.

*Autre méthode*

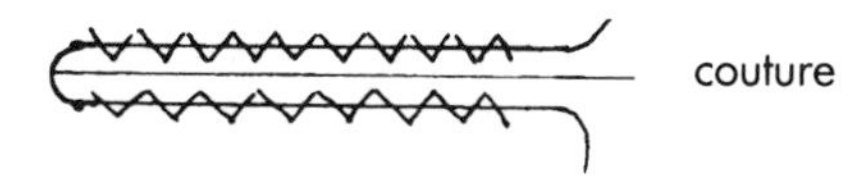


Pour un fronçage solide dans les tissus lourds, passez un fil de coton perlé dans l'orifice du pied à broder et cousez un zigzag dessus.

- Faites deux rangs séparés de 2 mm. Tirez sur le coton perlé, vous obtiendrez un beau fronçage régulier.
- Assemblez au corsage par une couture entre les deux rangées de zigzag.
- Défaites la couture apparente une fois le vêtement terminé.

## GABARIT

- Ensemble des pièces en carton d'un patron, réalisées à partir d'un patron de base (à ses mesures personnelles ou à des mesures standard, pour un manufacturier) auquel on a apporté des modifications de mesures, de formes ou de style. Y sont indiqués les lignes de pince, les repères d'assemblage, les flèches de droit fil, le bout de la poitrine, mais aucune marge de couture ni rabat d'ourlet.
- On appelle aussi gabarit la règle ajustable dont on se sert pour vérifier les mesures. Voir *Guide*.
- Un morceau de carton servant à reproduire une mesure ou une forme que l'on veut reporter est aussi un gabarit.

## GALON À MESURER

On dit aussi ruban mesure, ruban métrique, ruban à mesurer. Outil indispensable, il sert à prendre les mesures circulaires. Choisissez-le en tissu synthétique flexible et non extensible, ou en fibre de verre: il ne se déchirera pas. Il porte d'un côté les mesures métriques, de l'autre les mesures anglaises. Les embouts de métal servent de protection.

- Si votre galon à mesurer est en toile cirée, et qu'il s'est ramolli, couvrez-le de papier ciré et repassez-le avec un fer chaud.

## GALONS DÉCORATIFS

Ce sont des ornements en droit fil qui, en principe, ne peuvent border que les lignes droites. On les coud sur le tissu à l'aide de points de fantaisie, de broderie ou à la machine. On les trouve, entre autres, sur l'ourlet d'une jupe, au bas

d'une manche, appliqués sur le devant d'une robe, d'une djellaba ou d'une tunique.
Si le tissage du galon est lâche, vous pouvez à l'aide d'un fer lui donner certaines courbes.

## GANSE

### *Ganse décorative*

Cordonnet plat, rond ou tressé, métallisé ou soyeux, utilisé comme ornement sur un vêtement (décoration militaire).

### *Ganse utilitaire*

Elle ressemble à une ficelle de coton et se vend en épaisseur allant de 2 mm à 1,25 cm. On l'utilise en liséré et passepoil (boutonnière); elle peut servir de lien dans une coulisse, à faire des brides gansées pour que celles-ci soit plus rondes et plus solides. (Piquez-la avec un pied ganseur. Rétrécissez les ressources et retournez.)

- N'utilisez jamais en français le mot «ganse» dans le sens de bride, ni à la place de coulant (pièce mobile) ou de passant (pièce stable) servant à retenir une ceinture.

## GARNITURE

La couturière appelle garniture ce qu'elle achète et qui décore une toilette. Les garnitures comprennent entre autres: les agrafes, les œillets, les ganses, les rubans, les attaches de fermetures à glissière, les dentelles, les franges, les galons, les boutons de fantaisie, les paillettes, le rick-rack, les soutaches. La garniture peut rendre chic une tenue sobre. Évitez toutefois de surcharger un vêtement. Voir *Détails*.

## GAUFRAGE

Procédé manufacturier qui donne certains reliefs aux tissus, sous l'action de la chaleur et en les faisant passer sous des rouleaux gravés. Le pressage est permanent sur les fibres thermoplastiques (le nylon, par exemple) ou sur les tissus traités aux résines chimiques. Il est temporaire sur ceux d'origine naturelle (coton, lin à 100 %).
Ce procédé ne convient pas aux lainages.

## GÉOMÉTRAL

Le géométral, ou dessin technique à plat du vêtement, est l'outil du dessinateur et du patronnier. Le géométral est la représentation exacte du vêtement en deux dimensions. Il faut montrer le dos et le devant et inclure des notes explicatives sur les détails qui ne sont pas clairs sur le dessin, par exemple sur le choix du tissu, les surpiqûres, les fermetures, les mesures et le rapport anatomique (coude, taille, genoux...). En somme, le patronnier doit être en mesure de faire le patron à partir de ce dessin sans explications supplémentaires.

## GLAÇAGE

Procédé de manufacture servant à produire le chintz. On applique de l'amidon, de l'adhésif ou de la laque sur l'étoffe avant de la passer sur les cylindres chauffés qui roulent plus vite qu'elle.

- Il donne un beau fini glacé, très lustré. On emploie beaucoup le chintz en décoration (draperie, coussins...).

## GOUSSET (OU SOUFFLET)

Petit morceau de tissu, inséré sous une manche kimono ajustée pour donner de l'aisance aux mouvements. En forme de losange, en un morceau ou deux. Renforcez les pointes avec un morceau d'organza et surpiquez les bords si vous le désirez.

## GRADATION

La gradation consiste à établir la progression des mesures d'un patron et sa décroissance à partir du prototype fait dans une mesure de base intermédiaire, en manufacture. Cette progression n'est pas égale partout, et il faut suivre certaines lois. Des machines font maintenant ce travail et taillent au laser, mais il faut les programmer adéquatement.

## GRIFFES D'ENTRAÎNEMENT

Dans la machine à coudre, l'entraînement du tissu se fait par des griffes métalliques en mouvement, sous le pied presseur. Il est commandé par le règle-point. Plus le point est court, plus la distance que le tissu parcourra pour chaque point sera courte.
Vous pouvez neutraliser l'entraînement si vous cousez des boutons à la machine ou cousez à main levée. Selon votre machine, abaissez les griffes ou recouvrez-les avec une plaque spéciale.

- Si les griffes marquent le dessous du tissu, diminuez la pression ou glissez un papier de soie entre le tissu et les griffes.

## GUIDE (POUR GUIDER LES COUTURES)

*Sur machine à coudre*

- Chaque côté du pied presseur peut servir de guide. De plus, certaines lignes gravées sur la plaque à aiguille vous aideront à faire des coutures bien droites et à la bonne distance du bord. Ces marques sont plus pratiques si elles sont gravées sur les deux côtés.
- Le guide ouateur sert de guide pour ourlet invisible.
- Vous pouvez aussi marquer le tissu par faufil, trait de craie de tailleur ou de crayon.
- Avec votre main, guidez le tissu par le côté, près du pied-de-biche (surtout le bout des doigts).
- Si votre machine n'a ni plaque de guidage ni gabarit accessoire, fixez un ruban adhésif à 1,5 cm du trou de l'aiguille, et un deuxième à la même distance en perpendiculaire, qui sera très utile dans les coins.

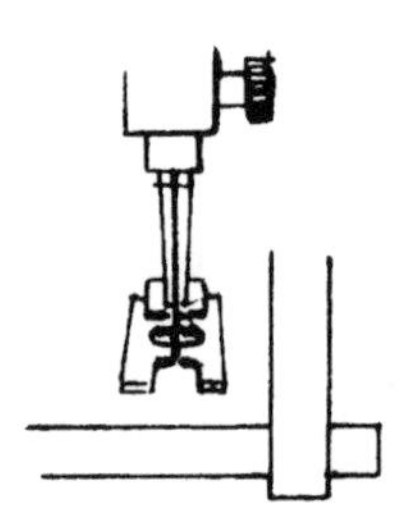

## HANCHES

Région qui correspond à la jonction du tronc et des membres inférieurs. Elle correspond à la partie la plus large du bassin.

- Une robe ou une blouse nécessitent à cette hauteur une aisance de 7,5 cm de plus que la mesure du corps.

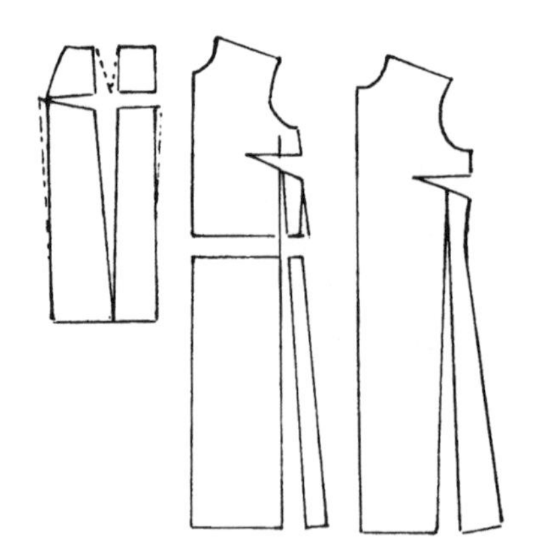

- Pour élargir les hanches du patron d'une robe, coupez-le de bas en haut, vis-à-vis l'emmanchure; écartez jusqu'à ce que vous ayez les bonnes mesures. Collez sur un papier et coupez le tissu, dos et devant.
- Voir *Jupe*.

## HARMONIE (VOIR *ÉQUILIBRE, PROPORTION*)

Pour qu'un vêtement soit harmonieux, il faut qu'il soit agréable à regarder et qu'existe un équilibre entre les différentes parties qui le composent (ligne, texture, couleur, style). Ces éléments peuvent être dotés d'un pouvoir d'illusion d'optique, ils peuvent allonger, raccourcir, élargir ou amincir une silhouette. Savoir les faire jouer en sa faveur est un art. Un agencement esthétique entre les diverses parties d'un ensemble de plusieurs vêtements contribuera à l'harmonie totale de votre garde-robe.

## HAUT

Terme générique désignant tout vêtement qui couvre le torse, et qui accompagne la jupe ou le pantalon. Le haut peut être un chemisier, un débardeur, un boléro, une veste, un blouson...

## HAUTE COUTURE

Création de modèles originaux par des couturiers de réputation internationale, habituellement vendus sur mesures personnelles. À Paris, les présentations de haute couture, qui ont lieu deux fois par année, inspirent le reste du monde.

## **HUILAGE** (LUBRIFICATION)

- À moins que votre manuel ne vous indique le contraire, huilez toutes les pièces mécaniques qui subissent un frottement lorsque la machine à coudre fonctionne.
- Utilisez une huile à machine légère mais de bonne qualité.
- Huilez peu mais fréquemment.
- Ne mettez pas d'huile sur les courroies, les contacts électriques ou le moteur et essuyez immédiatement si par malheur cela se produisait.
- Il est indispensable de huiler le porte-canette ou le crochet, selon le modèle de votre machine.
- Après la lubrification, cousez quelques points sur une retaille de tissu, jusqu'à ce qu'il ne reste aucune trace d'huile. Vous éviterez ainsi de salir votre tissu.
- Il est préférable de huiler après avoir utilisé votre machine. Elle sera ainsi prête pour le prochain usage.

## **HUMIDIFICATION DU TISSU** (AVANT LA CONFECTION)

Utilisez une bouteille à bouchon perforé ou un vaporisateur manuel. Humectez vos vêtements 100 % coton et enroulez-les un moment dans un linge humide. Ils seront bien imprégnés, ce qui facilitera le repassage. Voir *Décatissage, Droit fil, Repassage.*

## **IGNIFUGATION**

Traitement de finition rendant un tissu ininflammable. La loi exige que les vêtements d'enfants soient faits de tissus ayant subi ce traitement.

## ILLUSION D'OPTIQUE

Erreur de perception visuelle produite par les formes, les couleurs et les textures. On peut créer volontairement cette illusion et l'utiliser à son avantage lors de la confection d'un vêtement. Voir *Camouflage, Couleur, Découpe, Forme, Garniture, Harmonie, Imprimé, Ligne structurale, Proportion, Rayures, Texture, Tissu.*

## IMPERMÉABILITÉ

Traitement qui rend les tissus réfractaires à l'eau et à l'air, et qui en ferme les pores. On s'en sert pour les imperméables. Le Scotchguard et le Drifab sont des produits à vaporiser hydrofuges au silicone.

## IMPRIMÉ

Tissu à motifs, obtenu à l'aide de différents procédés d'impressions.

- La qualité de l'impression se vérifie sur l'envers: plus la teinture transperce, plus elle durera longtemps.
- Voir *Motifs.*

## INCRUSTATION

Motif de broderie ou de dentelle préfinie, qu'on applique sur certains vêtements comme garniture, sous lequel on enlève le tissu pour garder la transparence.

- Insertion de pierres, (strass, perles ou autre) sur certains vêtements.

## INDÉMAILLABLES (TISSUS)

Caractère de certains tricots qui sont faits de telle sorte que les mailles ne filent pas si l'une se défait.

## INFROISSABLES (TISSUS)

Qualité qu'acquiert un tissu qui a subi ce traitement chimique qui l'empêche de froisser. Il sèche donc rapidement et ne requiert pas de repassage.

## INSTRUCTIONS

Il est important que vous suiviez les instructions du manuel de votre machine à coudre et celles qui sont jointes aux patrons: vous aurez ainsi un bon rendement en couture.

## IRRÉTRÉCISSABLES ET INFEUTRABLES (TISSUS)

On fait subir ces traitements de stabilisation maximale à certains tissus ou tricots afin d'éviter qu'ils ne rétrécissent au lavage. Ainsi, certains lainages sont lavables à la machine.

## JACQUARD

Étoffe faite de fils de différentes natures et couleurs (en tricot ou en tissage), exécutée avec une machine programmée du nom de son inventeur, et produisant des motifs très compliqués. Ce tissu est de bonne qualité, et plus coûteux que les imprimés. Parmi les jacquards, on compte le brocart, le damassé, la tapisserie.

**JEANNETTE** (VOIR *PLANCHES*)

Petite planche rembourrée, montée sur un pied, servant à repasser les parties les plus compliquées comme les cols et les manches.

**JERSEY**

Le jersey est un point de tricot simple. On le reconnaît par ses colonnes verticales lisses sur l'endroit et ses boucles horizontales sur l'envers. Les tricots au point jersey s'étirent davantage en largeur. Suivre les boucles ou les colonnes à la place du droit fil. Les jerseys servent à confectionner des vêtements très souples comme les drapés. Ces tissus ne sont pas froissables et les vêtements de jersey sont pratiques pour ceux qui voyagent.

**JOUR** (OU AJOUR)

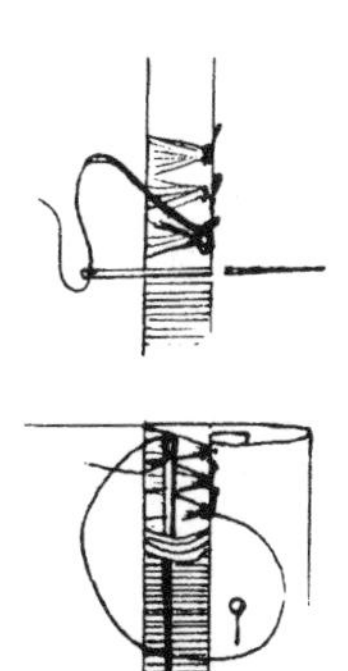

Travail à l'aiguille de fantaisie. On fait des jours en tirant des fils pour créer des ouvertures, que l'on retravaille à l'aiguille avec divers points de broderie. Technique utile pour décorer napperons et vêtements.

**JOUXTER** (JUXTAPOSITION)

Notion de composition désignant la position de deux parties d'un vêtement placées côte à côte, et réunies par une couture. La juxtaposition s'oppose à la superposition, où l'on pose les deux morceaux l'un sur l'autre. On trouve des jupes à volants superposés ou juxtaposés.

## JUPE

Vêtement féminin qui commence à la taille, et qui descend à différentes longueurs pouvant aller jusqu'au plancher. C'est aussi la partie inférieure d'une robe ou d'un manteau. Voir *Hanches, Longueur.*

*Les éléments qui peuvent modifier le style d'une jupe:*

| | | |
|---|---|---|
| La longueur | Les découpes | Les plis |
| L'ampleur | Les drapés | Les poches |
| Les attaches | Les empiècements | Les surpiqûres |
| Les basques | Les fentes | Les tissus |
| Les boutonnières | Les godets | Les traînes |
| Les boutons | Les pans | Les volants |
| Les ceintures | Les pinces | |

A Jupe à une couture (jupe en forme).

B Jupe à deux coutures (jupe droite, ligne A).

C Jupe à trois coutures (jupe droite avec pli d'aisance arrière, la fourreau).

D La demi-circulaire ou demi-soleil (formée de deux quarts de cercle).

E La circulaire ou ballerine (formée de deux demi-cercles).

F La jupe croisée (portefeuilles, kilt, paréo).

G La jupe plissée (à plis couchés, à plis ronds, à plis creux, à plis accordéon, à plis religieuse — à plis horizontaux —, à plis soleil).

H La jupe à volants (superposés ou juxtaposés). La jupe froncée (paysanne).

I La jupe à panneaux, à godets (trompette, tulipe, cloche).

## LES CATÉGORIES DE JUPES

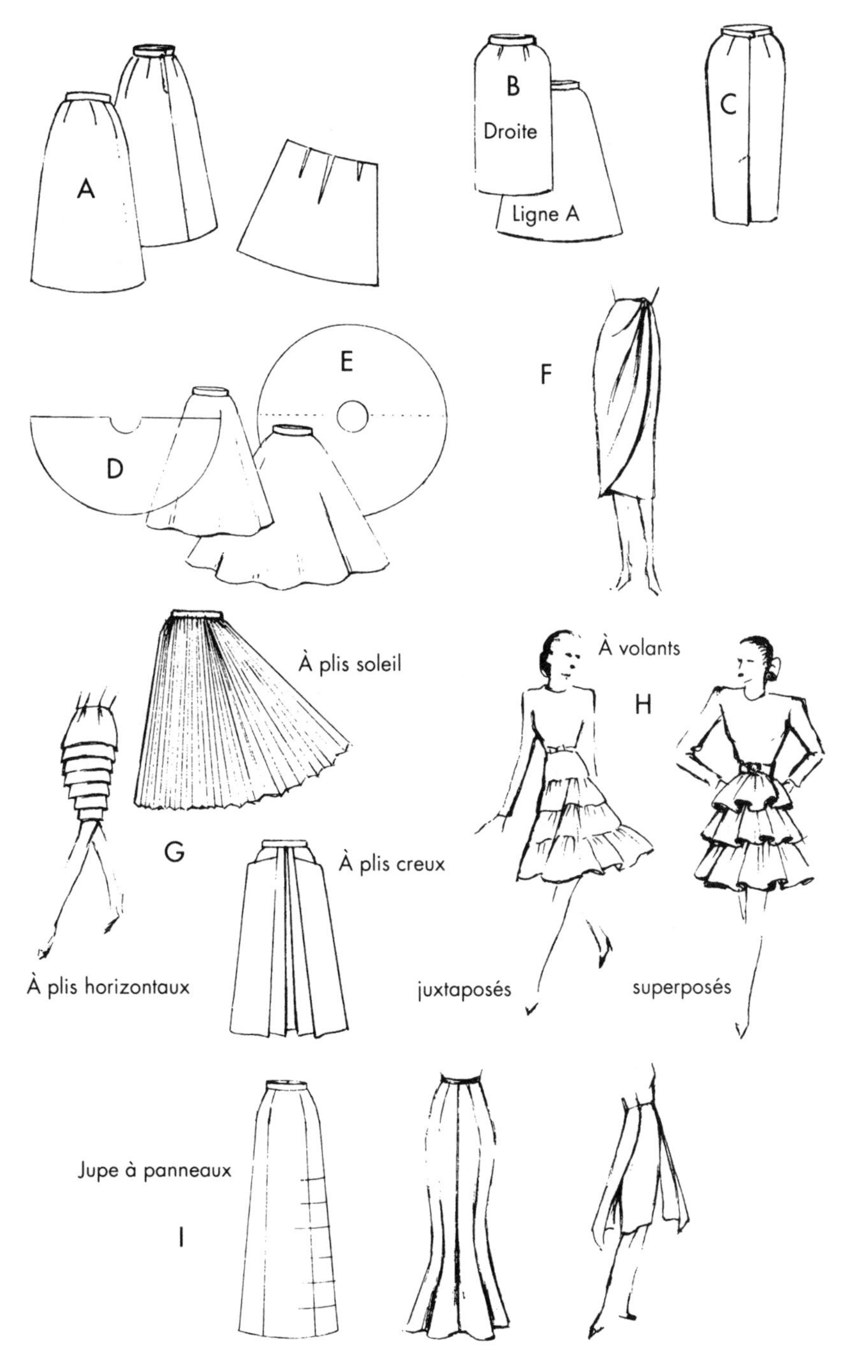

## *Correction de patron de jupe*

### POUR VENTRE UN PEU FORT

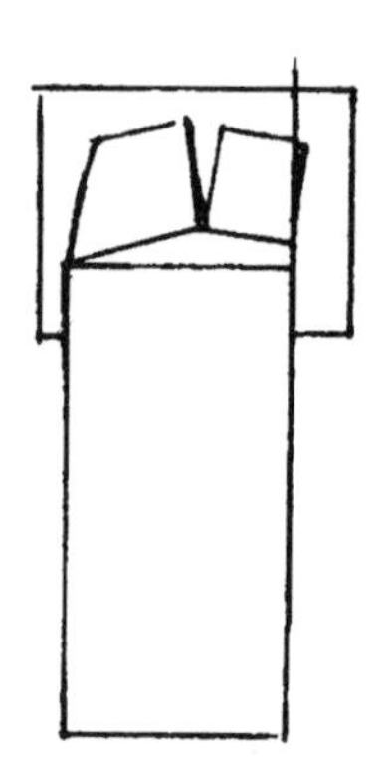

- Fendez le patron (devant) horizontalement, à la hauteur des hanches.
- Fendez aussi verticalement dans la pince de taille.
- Gardez la même longueur sur la latérale (côté).
- Mettez un papier sous le patron.
- Écartez pour donner plus de hauteur.
- Redressez le milieu du devant.
- Collez avec papier adhésif, et coupez ce qui dépasse.

### POUR UNE CHUTE DE REIN CREUSÉE

- Fendez le patron du dos horizontalement à la hauteur des petites hanches.
- Superposez jusqu'à la hauteur nécessaire.
- Si le patron n'est pas corrigé, la jupe collera derrière et relèvera devant.

### POUR UN FESSIER UN PEU FORT

- Fendez le patron du dos à l'horizontale, à la hauteur du fessier.
- Fendez aussi verticalement dans la première pince.
- Mettez un papier sous le patron.

- Écartez les bords en redressant la médiane.
- Collez avec du papier adhésif et découpez ce qui dépasse.
- Gardez la même mesure latérale.

POUR EMPÊCHER QU'UNE JUPE DE LIGNE A RETROUSSE À L'ARRIÈRE

- N'ajustez pas votre jupe trop serrée (minimum d'aisance nécessaire).
- Ajoutez une doublure.
- Choisissez un modèle avec couture à l'arrière. (Ce qui lui donnera plus de poids et de tenue.)

POUR DES HANCHES FORTES (SUR JUPE DROITE)

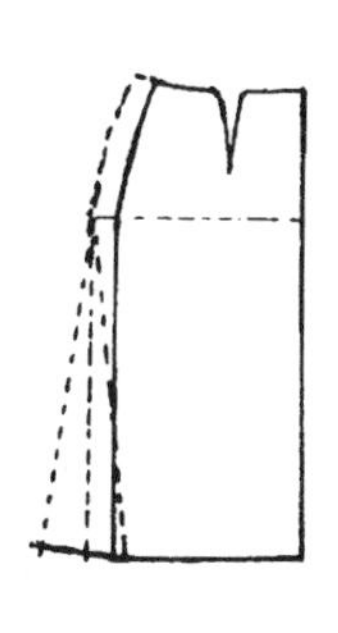

- Ajoutez la mesure désirée à la ligne de hanche.
- Refaites la courbe qui va à la taille.
- Descendez en droite ligne jusqu'en bas. Si vous continuez en élargissant, vous aurez une ligne A; si vous rétrécissez, vous obtiendrez un fuseau.
- La ligne de hanche doit être parallèle au sol si vous voulez avoir un bord droit fil pour une jupe droite.

## KANGOUROU

Vêtement d'allure sport qui a une pochette sur le devant servant de réchauffe-mains ou de repose-bras.

## KAPOK

Duvet végétal, très léger et imperméable provenant du kapokier que l'on utilise pour rembourrer des coussins.

## KILT

Jupe portefeuille quadrillée aux couleurs des clans écossais, avec plis plats et frange verticale à l'ouverture, et que l'on ferme avec des attaches décoratives, parfois une grosse épingle à ressort.

## KIMONO (VOIR *GOUSSET, SOUFFLET*)

Inspiré du kimono japonais, c'est un vêtement avec manche à même, sans couture d'emmanchure. La manche fait corps avec la partie supérieure du vêtement, et comporte parfois un soufflet (ou gousset) quand elle est ajustée. Cette manche peut être large ou étroite, courte ou longue. On peut la renforcer sous le bras avec un ruban à finir quand il n'y a pas de soufflet.

- Le kimono n'avantagera pas une personne à la poitrine volumineuse ou aux bras dodus.
- On appelle cette manche chauve-souris, si elle est taillée à l'horizontale. Elle peut alors ne pas avoir de couture sur le dessus.

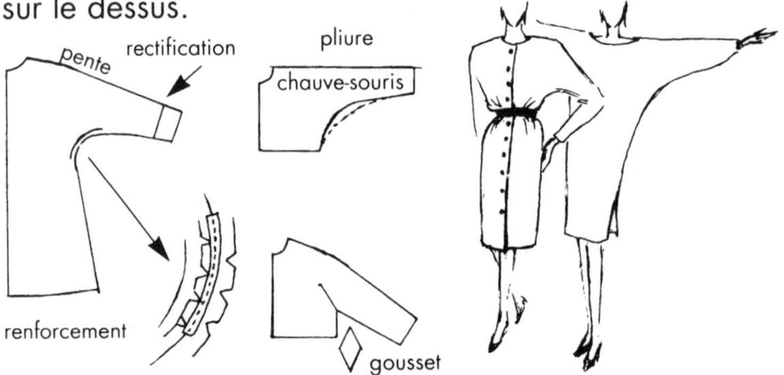

## LAINE

Fibre naturelle et animale (mouton, lama, lapin, chèvre, vigogne...) très polyvalente. D'aspect et de poids divers, elle est chaude en hiver et peut être fraîche en été. On peut la tisser ou la tricoter.
Son élasticité naturelle lui permet de reprendre forme après usage; elle est isolante et se teint aisément. Il est préférable de la traiter contre les mites et de la pré-rétrécir avant l'usage. Elle n'accumule pas d'électricité statique.

- Il existe de la laine peignée, faite de fibres longues, c'est la meilleure qualité; et la laine cardée, faite de fibres courtes à l'aspect mousseux.
- La laine peut être moulée à la vapeur (travail de haute couture) pour lui donner la forme souhaitée.

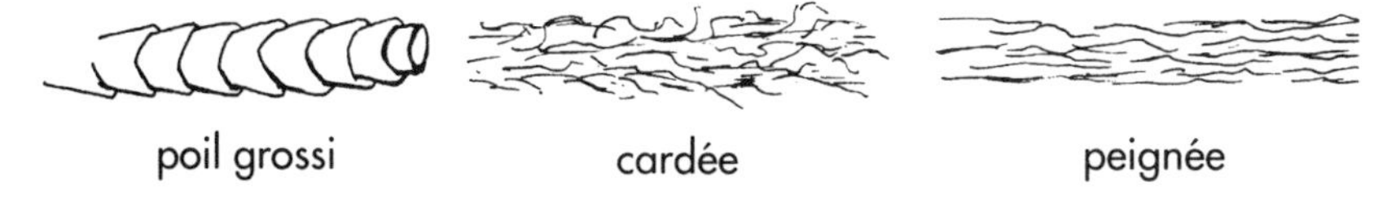

poil grossi cardée peignée

## LARGEUR

Les tissus se vendent en différentes largeurs.
Grande largeur: 150 cm (58 po ou 60 po).
Petite largeur: 115 cm (44 po ou 45 po).
Vous devez connaître la largeur du tissu pour savoir la longueur dont vous avez besoin pour la confection d'un vêtement. Suivez l'indication sur la pochette du patron ou dans le catalogue.

## LÉ (OU LAIZE)

Le lé est le panneau de tissu d'une jupe, plus large à l'ourlet qu'à la taille. Plusieurs lés assemblés côte à côte donnent une jupe à panneaux.
Le lé est aussi la largeur d'une étoffe entre les deux lisières.

## LÈVRES

Rebords d'une boutonnière française.

## LIANT

Toile très fine que l'on glisse entre deux épaisseurs de tissu pour les coller ensemble. Sous l'effet de la vapeur, les liants retiendront ourlet, parementure, garniture ou appliqué au vêtement sans aucune couture.

## LICOU

Corsage qui s'attache en contournant le cou de diverses façons et qui laisse le dos et les épaules à découvert.

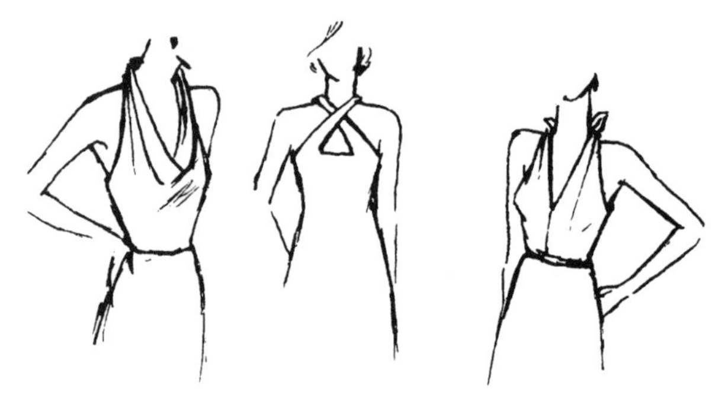

## LIENS

Ficelles, lanières, rubans, cordonnets ou autres qui permettent d'attacher. Ils remplacent les boutons et les boutonnières et sont plus faciles d'exécution.
Les liens peuvent être faits en biais commercial préplié, ou être taillés dans le même tissu que le vêtement à border, en franc biais.

## **LIGNES** (SUR LES PATRONS)

### *Ligne de coupe*

Tracé figurant sur les patrons, indiquant l'endroit où couper le patron.

### *Ligne de couture*

Tracé marquant l'emplacement de la couture. Cette ligne suit le contour du patron.

### *Ligne de droit fil* (FLÈCHE DE DIRECTION)

Ligne terminée par une flèche qui figure sur un patron et qui indique le sens des fils de chaîne ou de trame.

### *Ligne de rectification*

Ligne double imprimée sur certains patrons indiquant l'endroit où il est préférable d'allonger ou de raccourcir au besoin.

### *Ligne de taille*

On la retrouve aussi sur le patron et elle indique l'endroit le plus mince du corps entre les seins et les hanches. (On trouve sa hauteur en mettant un élastique noué autour de la taille et en mesurant la distance de cet élastique jusqu'au point de rencontre de la couture cou et épaule.) Faites la correction si elle ne correspond pas à celui du patron.

- Pour une robe courte, on peut remonter la taille de quelques centimètres au-dessus de sa place réelle, le corsage pouvant sembler trop long.

- Les robes à taille haute (Empire) coupée sous les seins allongent la silhouette des personnes ayant des jambes courtes, et les robes à taille longue ou basse avantagent celles qui ont un torse court.

### *Ligne médiane*

Ligne qui divise un patron en deux parties égales. Les patrons étant toujours faits par moitié, c'est la ligne du bord du patron que l'on place habituellement sur le pli du tissu (pour une pièce complète), ou le bord du tissu pour les pièces séparées.

## **LIGNE STRUCTURALE** (ALLURE GÉNÉRALE)

La ligne structurale est un dessin de base qui indique le style d'un vêtement, c'est son aspect général, sa forme schématique. C'est sur cette base que le dessinateur (styliste, créateur) ajoutera les variantes qui en feront des modèles originaux, mais en restant toujours dans la même forme de base, qui correspond à la mode du moment.

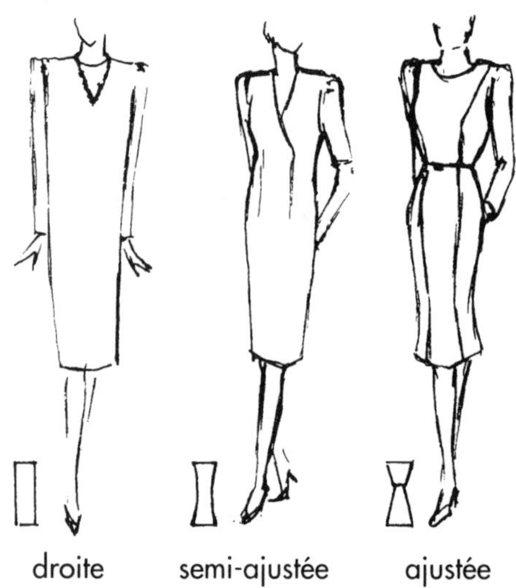

droite semi-ajustée ajustée

## *Ligne A*

Lorsque l'ampleur se situe vers le bas, le torse, les épaules et la poitrine semblent plus délicats.

- Exagérer les formes crée un déséquilibre; sachez doser l'ampleur selon le physique de la personne à habiller.

## *Ligne ajustée*

Cette ligne moule le corps. Cet ajustement se fait par des pinces ou des découpes. Si elle est trop serrée, cette ligne accentue les contours. Plus le vêtement s'éloigne du corps, moins on porte attention à l'anatomie de la personne qui le porte. Vous pouvez aussi faire des vêtements très ajustés avec les nouveaux tissus extensibles sans avoir recours à des pinces.

## *Ligne demi-ajustée* (SEMI-AJUSTÉE)

Habituellement non coupée à la taille, comporte des découpes ou des pinces de taille. Elle n'est ni tout à fait droite ni tout à fait ajustée et comporte une légère courbure à la taille. Cette ligne est très avantageuse.

## *Ligne droite* (RECTANGULAIRE)

Elle allonge la silhouette, elle n'a ni ampleur ni courbure et elle tombe droite. (Si elle est carrée, elle diminue la hauteur.)

*Ligne triangulaire*

Si la partie la plus large est en haut (épaules élargies), elle fera paraître les hanches moins fortes. Vous devez toutefois surveiller les proportions, car elles peuvent diminuer la hauteur.
Si cette partie est volumineuse, elle créera une impression d'écrasement chez une personne de petite taille, mais avantagera une personne plus grande que la moyenne.

Ligne A

## LIN

Fibre naturelle végétale, provenant de la tige de la plante du même nom. On utilise le lin depuis l'âge de pierre et sa culture s'est développée dans les régions chaudes et humides. Après de multiples préparations, on en obtient des fils qui entrent dans la fabrication de tissus très solides.

- Le lin est deux fois plus résistant que le coton, il l'est davantage encore quand il est mouillé. Il possède un très beau lustre chatoyant produit par les irrégularités de sa fibre. C'est une fibre absorbante qui sèche très vite; il est donc rafraîchissant de porter un vêtement de lin.
- Il est parfaitement lavable à l'eau chaude (tournez toujours le vêtement à l'envers au lavage), il garde sa tenue et vous pouvez le javelliser (quand il est blanc). Il se repasse à haute température (230 °C), humide et à l'envers.
- Vous pouvez aussi le nettoyer à sec quand la teinture ou la fabrication du vêtement l'exige.

- Ce tissu plein de qualités a aussi quelques inconvénients: il est plutôt rigide et se drape mal. Il rétrécit légèrement au lavage et se froisse beaucoup, ce qui ne lui enlève pas son apparence de qualité.
- On en fait, entre autres, des robes, des costumes pour hommes et pour femmes, des linges de table et de lit de première qualité, des entoilages et des dentelles. Les couturiers s'en servent dans la conception de leurs plus beaux ensembles (vêtements tropicaux).
- Il n'y a pas si longtemps, on cultivait et on tissait le lin au Québec, afin d'en faire une toile exceptionnelle. Les trousseaux de nos aïeules étaient bien garnis de nappes, de draps, et de serviettes qui duraient de nombreuses années, et qu'on se transmettait de mère en fille.
- Les tricots de lin sont plus souples et moins froissables.
- Les mélanges lin et laine donnent des résultats superbes mais coûteux.
- Qu'il soit fin et délicat ou épais et rustique, c'est un tissu très noble et tous ceux qui le portent se sentent à l'aise. C'est un vêtement qui garde son élégance malgré les faux plis.
- En voyage, pour que vos vêtements de lin reprennent forme, suspendez-les dans la salle de bain, ouvrez au maximum le robinet d'eau chaude du bain ou de la douche durant quelques minutes puis laissez refroidir une heure ou deux.

## LISERÉ

Ruban étroit servant à border les vêtements. Le liseré est habituellement coupé sur le biais.

## LISIÈRE

Bordure de finition qui marque les extrémités d'un tissu, des deux côtés, sur la largeur. Elle est tissée plus serrée que le tissu qu'elle borde.

## LONGUEUR

C'est la dimension la plus longue d'un vêtement, elle est opposée à la largeur.

*Différentes longueurs d'une jupe*

Micro (bas des fesses).

Mini (mi-cuisses).

Classique, Normale ou Chanel (longueur préconisée par Coco Chanel, autour des genoux).

Midi, Longuette (mi-mollets).

À Danser (sous les mollets).

Maxi (aux chevilles).

Au Sol (sans traîne).

À Traîne (qui se prolonge vers l'arrière à divers degrés, par exemple une robe de mariée).

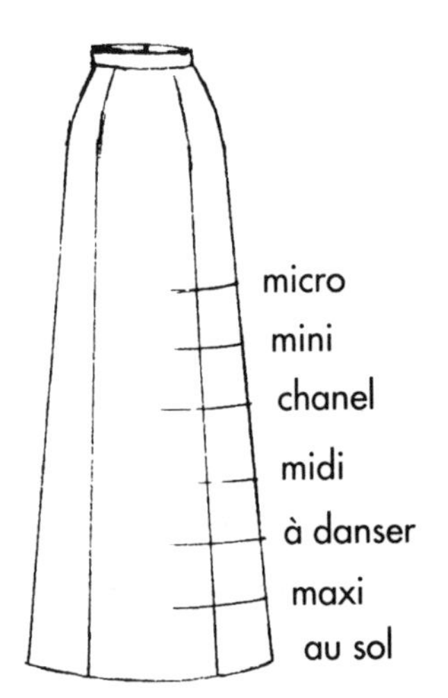


- Plus une robe est longue plus elle semble amincir la silhouette. (L'œil qui regarde fait un mouvement de haut en bas.)
- Consultez la pochette du patron pour calculer la longueur de tissu requise pour faire un vêtement.

- La longueur seyante d'une jupe varie selon l'âge de la personne à habiller et le galbe de ses jambes.
- Servez-vous d'un trusquin pour égaliser une jupe sur une personne, ou demandez l'aide d'une amie qui utilisera une règle et des épingles.

## LUBRIFICATION

Voir *Huilage*.

## MACHINE À COUDRE

- Ne vous encombrez pas d'une machine compliquée, à moins d'être une maniaque de la couture.
- Le point droit et le zigzag suffisent amplement, ils permettent de surfiler, de faire les boutonnières, les points de bourdon et les points élastiques pour tricots.
- Une bonne machine doit faire de jolis points sur tous les tissus; demandez une démonstration avant l'achat.
- Lisez et relisez le livret de mode d'emploi qui accompagne toute machine neuve, et suivez les instructions. (Chaque machine a ses particularités.)
- Sachez identifier par leur nom chaque partie et accessoire de votre machine (releveur, tension, canette, boîtier, griffes, pied presseur...) et attribuer à chacune sa fonction.
- Avant d'entreprendre la confection de beaux vêtements et si vous ne maîtrisez pas votre machine, pratiquez diverses sortes de points en faisant des poignées de cuisine dans de vieux draps. Cela vous donnera de l'assurance.
- Prenez grand soin de votre machine. Retirez à l'aide d'un petit pinceau les peluches ou charpies accumulées

autour du mécanisme d'entraînement du tissu. (N'utilisez jamais de ciseaux, car ils pourraient endommager la machine.) Si la charpie n'est pas enlevée, elle peut épointer et briser vos aiguilles.

- Un huilage régulier (voir le mode d'emploi) rendra votre machine plus silencieuse, plus rapide et les points seront plus beaux. Faites un essai sur un bout de tissu pour absorber le surplus d'huile.
- Au repos, laissez votre pied de biche sur un morceau d'étoffe pour protéger les griffes et, par mesure de sécurité, débranchez l'électricité.

## MAILLES

Les mailles simples sont des boucles faites avec un fil simple et continu formant des rangées horizontales de boucles interdépendantes (métier circulaire). Cela peut occasionner un problème d'échelle, dans le cas où le fil se brise. Les qualités principales de ces mailles sont d'être extensibles et souples, de bien se draper et de ne pas froisser.
Les mailles chaîne nécessitent plusieurs fils. Chaque fil a son aiguille qui zigzague et accroche la boucle voisine (métier droit). Cette action se produit en longueur et offre un résultat plus stable. Voir *Indémaillables, Jersey, Tricot.*

## MANCHE

Partie du vêtement qui recouvre le bras et dont la forme et la longueur varient.

### *Manche Kimono*

(VOIR *KIMONO*)

## *Manche montée* (OU RAPPORTÉE)

C'est la manche la plus populaire. Elle comporte habituellement une seule pièce (la manche tailleur qui se compose de deux pièces) et a une tête de manche agréablement arrondie avec un fronçage soutenu qui s'insère dans l'emmanchure sans faux plis. Elle peut aussi être froncée et donner une apparence plus féminine au vêtement, ou encore elle peut être plate comme dans une manche de chemise (tête de manche moins courbe, méthode de pose différente). La manche ajustée longue requiert des pinces ou des fronces (sur la ligne de couture côté dos) pour permettre au coude de plier aisément, par exemple: cloche, tailleur, bishop, gigot...

## *Manche raglan*

Manche jointe au vêtement par une couture oblique qui va du sous-bras à l'encolure et qui couvre entièrement l'épaule. Si cette manche est faite d'une pièce, elle comporte une pince sur l'épaule et si la manche est faite en deux parties, elle ne comporte pas de pince.

## *Détails qui peuvent changer l'apparence d'une manche*

L'ampleur, la longueur, le style, la présence ou l'absence de poignets, d'épaulettes (*padding*), de fentes de boutonnage, de pattes de serrage ou de réglage, de pattes d'épaules, de soufflet, la manche montée horizontalement ou oblique...

## *Poser des manches à une robe sans manche, sans défaire la parementure*

Il vous suffit de les coudre à une camisole que vous enfilerez sous la robe. Vous pouvez donc changer à volonté l'apparence d'une robe de base, en changeant le style de la manche.

- Il faut poser un biais en canevas au bas de la manche d'un manteau ou d'un tailleur, pour obtenir une bonne tenue du tissu. Retenir le canevas au point de croix (point flexible), pliez à la longueur désirée, retenez par un faufil au tissu de la manche ou à l'entredoublure.
- La doublure au bas d'une manche de manteau doit se terminer 2,5 cm plus haut en donnant du jeu. Faites un repli avant de coudre à points glissés.

*Pour bien froncer une tête de manche*

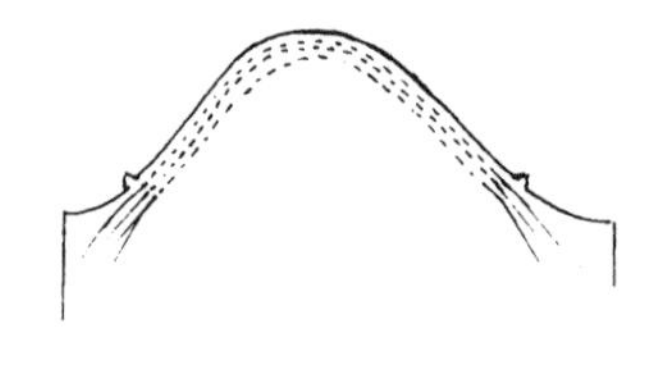

Faites trois coutures au pied fronceur à 3 mm d'intervalle (la couture finale sera celle du centre); faites rentrer l'ampleur avec un linge humide et au fer à la vapeur, cela permettra également de répartir l'embu (dans le biais). Le centre de la manche (2,5 cm environ) est droit fil et ne doit pas plisser. Décousez la troisième couture qui sera apparente une fois la manche terminée.

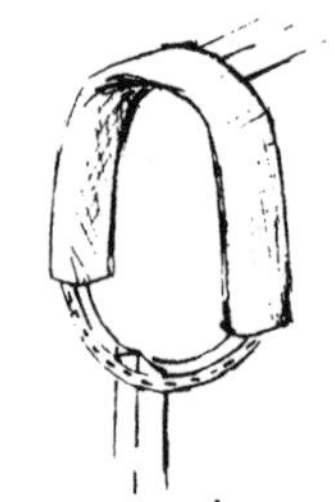

- Pour avoir une belle tête de manche arrondie dans un manteau, prenez de la laine d'agneau plus ou moins épaisse pour recouvrir la valeur de couture (d'un cran à l'autre); cousez à la main pour plus de souplesse.
- Si le vêtement n'est pas en lainage, utilisez un biais dans le tissu qui convient le mieux (voile).
- Dans un manteau, posez un ruban pour ne pas déformer l'emmanchure. Pour un vêtement plus léger, une couture machine à 3 mm de la couture aidera à soutenir la manche.

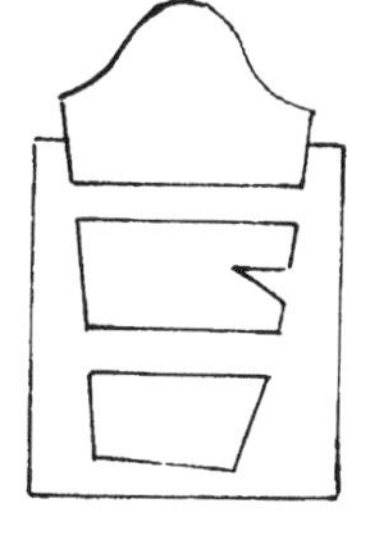

- Raccourcissez ou allongez une manche au-dessus et au-dessous du coude.

*Montage d'une manche*

Cette opération est moins délicate que l'on pense généralement.

- Pressez la couture sous le bras (sur une jeannette).
- Bâtissez la manche dans l'emmanchure pour l'essayage.
- Retirez la manche et répartissez l'embu sur une moufle à repasser en ne travaillant que sur la valeur de couture.
- Assemblez la manche au vêtement quand les deux parties coïncident parfaitement d'un cran à l'autre.
- Pressez avec un minimum de vapeur.
- Réduisez la valeur de couture sous le bras d'un cran à l'autre, et renforcez.

*Vérification de la manche et correction du patron*

A Quand la manche est bien ajustée, les faufils de repère (médiane, horizontale) tombent bien à angle droit.

B Comment élargir le haut de la manche sans changer la tête de manche ni au poignet. Coupez en croix et écartez en corrigeant les lignes. Si on veut élargir aussi la tête de manche, coupez seulement à la verticale.

La bonne mesure d'une manche est obtenue par les calculs suivants: Tour de bras + 5 cm d'aisance ainsi que poignet + 1,25 cm d'aisance.

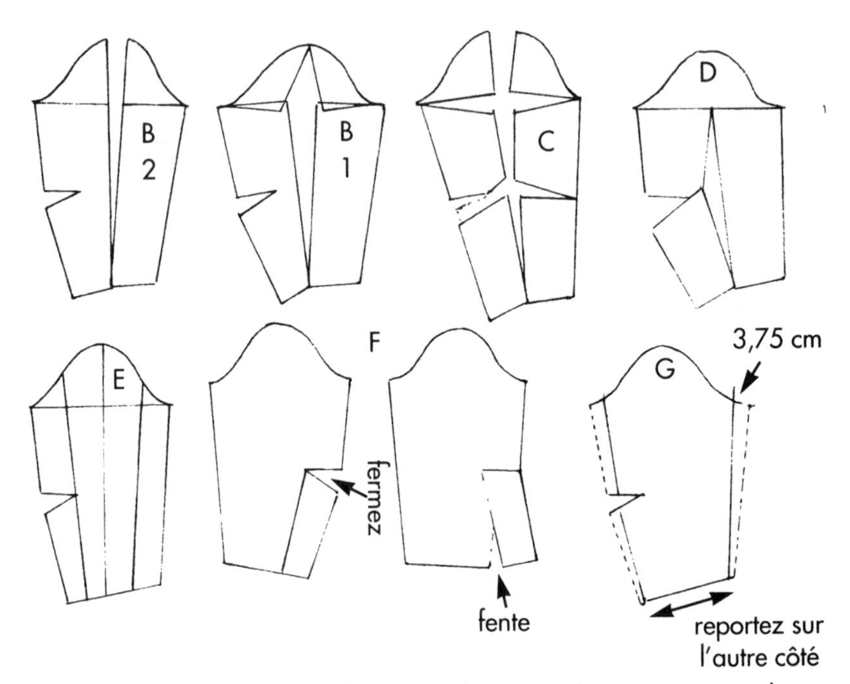


C Comment élargir à la tête de manche et au coude et garder le même poignet. Coupez verticalement au centre de la manche et horizontalement au coude et au tour de bras. Ouvrez à la mesure désirée et collez sur du papier. Découpez le surplus de papier.

D Comment élargir au coude. Coupez verticalement au centre, ouvrez la pince en la coupant jusqu'à la médiane. Écartez pour obtenir la largeur voulue. Gardez le droit fil.

E Comment rapetisser une manche. Coupez à la verticale à trois endroits tel qu'indiqué. Mettez un sur l'autre jusqu'à la grandeur voulue. Corrigez de 3 mm la tête de manche pour arrondir.

F Comment transformer le patron d'une manche droite coudée de chemisier en manche légèrement froncée dans un poignet boutonné.

- Coupez de la pointe de la pince jusqu'au bord de la manche.

- Fermez la pince au coude.
- Le bas de la manche est assez large pour être froncé.
- Faites la fente où vous avez taillé le patron à 3,5 cm de la couture arrière.

G Transformez un patron de manche afin que la couture sous bras ne coïncide pas avec la couture latérale du manteau à confectionner. Cela donne plus de confort et empêche la manche de se tordre, en éliminant le frottement des deux coutures l'une sur l'autre.

## MANNEQUIN

Forme rembourrée représentant une silhouette féminine sur laquelle on fait des essayages. Il faut en choisir un de bonne qualité dans lequel les épingles s'enfoncent bien. Choisissez un mannequin dont les mesures sont très proches des vôtres, de préférence plus petit que trop grand. On le rembourre avec de la ouate retenue par des fils enroulés. Recouvrir avec une toile à vos mesures de base (réelles).

## MANTEAU

Vêtement à manches longues, boutonné devant, que l'on porte à l'extérieur pour se protéger du froid. On distingue plusieurs sortes de manteaux: le manteau d'été, de demie saison (printemps-automne) et surtout le manteau d'hiver. C'est le vêtement principal à la base d'une garde-robe.

- On choisit un manteau en tenant compte de la nature de son travail, de ses moyens de locomotion et de sa personnalité.

*Qualités essentielles d'un manteau d'hiver*

- Une bonne qualité de lainage et de confection.
- Une ligne indémodable et élégante.
- Une ampleur suffisante permettant d'endosser plusieurs vêtements si nécessaire.
- Une couleur qui vous va bien et qui se combine avec vos accessoires et vos vêtements.
- Il comporte une triplure, une doublure, une entredoublure, un entoilage, un chamois ou un matelassage, pour être chaud et garder sa forme. Voir ces rubriques.
- Des poches protégeront vos mains (faciles d'accès).
- Son col peut se relever pour envelopper le cou.
- Il s'enfile facilement sur les autres vêtements.
- Il ne s'ouvre pas trop lorsque vous marchez.
- Il doit être assez long, mais pas trop pour ne pas se salir dans la gadoue.
- Choisissez les patrons de manteau d'après votre tour de poitrine.
- Voir *Manche* pour retouches.
- Ampleur pour manteau: 1/5 de plus que le tour de poitrine et des hanches.
- Si vous êtes une débutante en couture, il est préférable de commencer par un manteau léger et plus simple à confectionner.
- Il existe des manteaux à doublure amovible (la doublure est retenue au manteau à l'aide d'une fermeture à glissière ou de boutons), en lainage, similifourrure ou même en fourrure pour les pelisses (qui se porte à l'extérieur ou à l'intérieur).

**MARGE** (VOIR *VALEUR DE COUTURE*)

Espace de 1,5 cm situé entre la ligne de couture et la ligne de coupe. On l'augmente sous la fermeture éclair à rabat et à certains endroits si l'on veut prévoir un agrandissement.

**MARQUAGE**

La coupe terminée, il faut reporter sur l'envers du tissu les repères d'assemblage; pinces, nervures, fronces, lignes de pli, centre dos, devant, boutonnières et autres garnitures ainsi que les valeurs de couture.

*Marquage à la roulette*

Il se fait avec du papier carbone et est rapide, mais comme il y a danger de gaspiller le tissu, il faut donc éviter d'utiliser ce moyen sur les tissus délicats.

*Marquage au crayon à tailleur*

Il consiste à marquer les points vis-à-vis des épingles puis avec une règle à tracer le long des points en ligne continue. (La craie ordinaire s'enlève facilement, la craie en cire est plus durable mais ne s'efface pas, il faut donc faire attention.)

*Marquage au fil*

Passez sur les lignes de couture au point de bâti (droit) à la main ou à la machine (avec du fil à bâti ou à faufil).

*Marquage au savon*

Il a l'avantage de s'effacer rapidement sous le fer et c'est une méthode économique.

*Marquage aux points tailleur*

C'est le seul qui convienne aux tissus délicats et multicolores. Les points s'exécutent à la main, c'est plus long mais plus sûr. Piquez avec un fil de couleur contrastante chacun des points repères, les deux épaisseurs ensemble avec les points lâches, coupez entre les deux tissus, conservez les fils en place jusqu'à l'assemblage.

**MATELASSAGE**

Le tissu matelassé est fait de fibres entremêlées, utilisées pour isoler et doubler des vêtements. On l'achète au mètre en différentes épaisseurs et couleurs selon l'usage que l'on veut en faire. Il est habituellement surpiqué et muni d'une doublure.
Si vous voulez faire du matelassage vous-même, maintenez les différentes composantes (bourre agglomérée de polyester et doublure) avec des épingles et des faufils puis, au moyen d'un guide, cousez en surpiquant à distance égale. Pour faire des motifs spéciaux, dessinez un modèle sur papier de soie que vous posez sur le dessus et piquez toutes les épaisseurs (papier, tissu et bourre).

**MÉDIANE**
Voir *Ligne médiane*.

## MERCERISAGE

C'est un procédé manufacturier par lequel on enduit le coton et la toile de soude caustique pour les rendre soyeux, brillants et plus solides.

## MESURES

Il est préférable de ne pas prendre ses mesures seule, mais d'avoir recours à une amie.

- Pour prendre les mesures avec précision, ne gardez que vos sous-vêtements. Voir *Aisance.*
- Il existe trois sortes de mesures: les tours, les hauteurs, les largeurs.
- Commencez par déterminer l'emplacement de votre taille à l'aide d'un élastique un peu serré.
- Ne prenez que les mesures nécessaires pour le vêtement que vous confectionnez.
- Voir *Galon à mesurer.*

### *Les tours*

#### TOUR DE BRAS

Au niveau des biceps et du poignet.

#### TOUR DE POITRINE

Maintenez le galon sur la pointe des seins et gardez-le bien horizontal avec le dos.

#### TOUR DES HANCHES

Grandes hanches: Partie saillante du dos (fesses), des côtés (culotte de cheval) et du devant (muscle des cuisses) à 20 cm ou 22 cm sous la taille. Petites hanches: Partie saillante du devant (ventre) et des côtés, il se prend à 8 cm ou 10 cm sous la taille.

#### TOUR DE TAILLE

Mesurez sur l'élastique en place dans le creux entre le buste et les hanches.

#### TOUR DU COL

Passez par-dessus la vertèbre protubérante, base du cou au dos, et devant au-dessus du creux sternal (salière).

### *Les hauteurs*

#### HAUTEUR CORSAGE DEVANT

De la base du cou (à la couture de l'épaule), descendre jusqu'au cordon de la taille en passant par le bout de la poitrine (très utile pour les pinces poitrines).

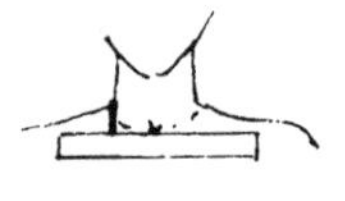

#### HAUTEUR CORSAGE DOS

Du cordon de la taille en montant à la verticale en couvrant les omoplates, jusqu'au cou.

#### HAUTEUR DE JUPE

De la ligne de taille au bas de l'ourlet (selon votre goût personnel). Au milieu du dos, au milieu du devant et aux côtés. (La différence de ces mesures donne la courbe de la ligne de taille.)

### HAUTEUR DE LA POINTE DU SEIN

De la taille à la pointe du sein.

### HAUTEUR DE ROBE

De la base du cou (épaule) jusqu'à la longueur désirée.

### HAUTEUR DE VESTE

De la base du cou (épaule) jusqu'à la longueur désirée.

### HAUTEUR DU BASSIN

De la taille jusqu'à la partie la plus forte (hanches).

### HAUTEUR D'UNE MANCHE MONTÉE

Depuis l'os de l'épaule jusqu'au poignet, en passant par le coude légèrement plié.

### HAUTEUR D'UNE MANCHE RAGLAN, KIMONO

Depuis le cou et la couture d'épaule jusqu'au poignet, en passant par le coude légèrement plié.

### HAUTEUR DU SOUS-BRAS

Bras baissé, règle sous le bras, hauteur de la règle jusqu'à la taille.

PROFONDEUR D'UNE ENCOLURE AVANT

Règle à la base du cou, mesurez de la couture cou-épaule jusqu'à la règle.

## *Les largeurs*

Ces mesures sont nécessaires seulement pour les vêtements ajustés; les vêtements un peu amples ne nécessitent que les mesures d'envergure.

CARRURE DEVANT

Cinq centimètres sous la base du cou, d'un bras à l'autre, juste au-dessus de la poitrine.

CARRURE DOS

À l'horizontal, sur le saillant des omoplates, d'un sous-bras à l'autre (couture côté).

ÉCARTEMENT DES SEINS (A)

D'un saillant à l'autre.

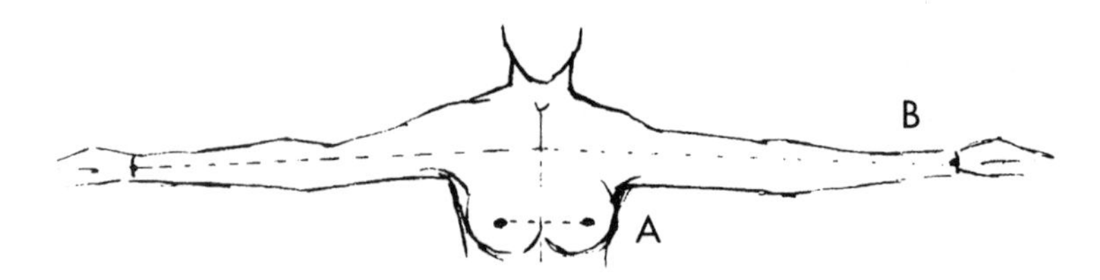


LARGEUR D'ÉPAULE

Du ras du cou, arrêtez à l'intersection des angles épaule-bras (prolongement au milieu du bras).

MESURE D'ENVERGURE, D'UN POIGNET À L'AUTRE (B)

Les bras légèrement écartés, en passant par la carrure du dos.

SAILLANT POITRINE

D'un sous-bras à l'autre en passant par la pointe des seins.

### *Vérification des mesures*

Quand les mesures sont prises, la taille du patron choisie, faites un tableau pour faire sortir les différences, vous devrez peut-être faire des modifications à votre patron si la différence est assez marquée.

- Vérifiez vos mesures tous les six mois.

| Mesures | Personnelles | Patron | Différence |
|---|---|---|---|
| Tour de taille | | | |
| Tour de poitrine | | | |
| Etc. | | | |

## MÉTRAGE

Longueur de tissu nécessaire à la fabrication d'un vêtement; exprimée en mètres et en centimètres.
Si vous découvrez un beau tissu et que vous n'avez pas de patron pour vous guider quant au métrage à acheter, essayez de vous imaginer la longueur de la robe, de la jupe, de la manche et ajoutez à l'ensemble la valeur de l'ourlet. Faut-il deux longueurs, est-ce que le tissu est assez large?

Prenez-en un peu plus au cas où le tissu rétrécirait au lavage ou que le tissu ne serait pas coupé droit ou encore si le tissu comporte des motifs. La vendeuse n'étant pas toujours apte à vous aider, il est préférable de vous servir de la pochette du patron choisi, ce qui limite le risque d'erreurs. Voir *Largeur, Longueur, Mesures, Tissu.*

## MOIRAGE

Procédé manufacturier qui consiste à faire passer deux épaisseurs de tissu entre deux cylindres ondulés. Humidité, chaleur et pression créent des variations ondées de l'éclat du tissu.

## MOTIFS

La grosseur des motifs doit être en proportion avec la silhouette. Une taille délicate est avantagée par des motifs adoucis, des rayures fines et de petits carreaux, alors que des motifs plus grands sont appropriés pour une personne plus grande et plus forte.

- Quand les motifs sont bien définis et assez grands, il faut les raccorder, ce qui requiert un peu plus de tissu.
- Placez les motifs de façon asymétrique, et évitez de les placer sur des points stratégiques, à moins que vous ne désiriez créer un effet spécial.

## MOULAGE

Technique de haute couture selon laquelle le vêtement est créé directement sur un mannequin. Le patron est retracé d'après cette toile. Le montage du vêtement se fait ensuite selon la façon tailleur. Voir *Tailleur*.

## NAVETTE

Petite boîte fixe ou amovible qui renferme la canette dans la machine à coudre. Manipulez-la avec douceur.

## NERVURE

Pli décoratif très fin, en relief, piqué à plat, disposé verticalement ou horizontalement, exécuté à la main ou à la machine, seul ou en groupe, en ligne droite ou courbe, servant à des fins décoratives ou structurales.

## NETTOYAGE À SEC

Procédé de nettoyage à l'aide de produits chimiques, effectué par des professionnels, sur les tissus non lavables et les vêtements doublés ou délicats. Cependant, certains tissus ne peuvent subir aucune de ces méthodes. Lisez attentivement les étiquettes.

## NIDS D'ABEILLES

Motif décoratif de broderie exécuté dans des fronces, formant des alvéoles en forme de losanges. On en décore les vêtements d'enfants.

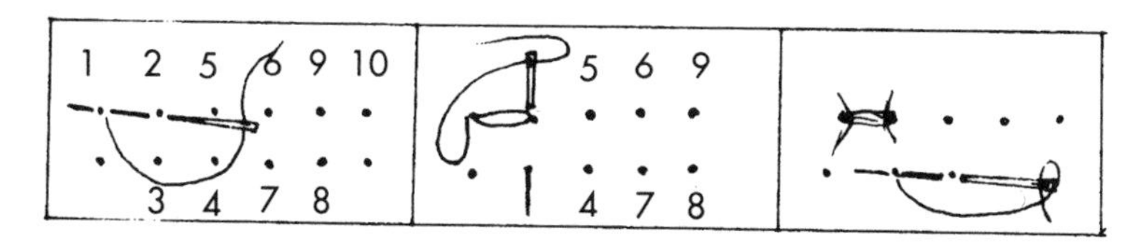


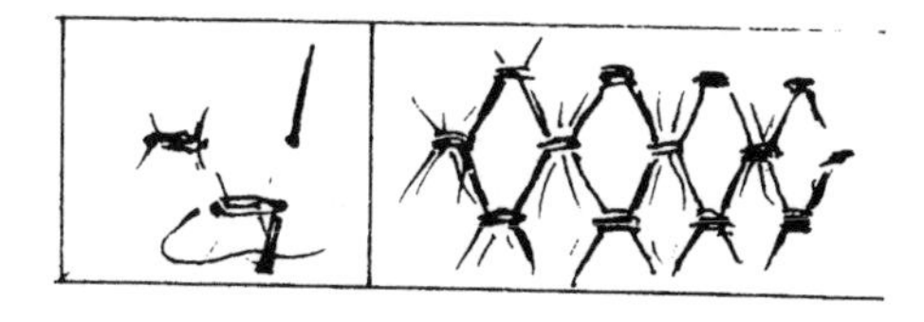

## NŒUD

*Comment faire un nœud*

- Enroulez le bout du fil autour de l'extrémité de l'index.
- Roulez le fil entre le pouce et l'index.
- Glissez le fil en avant et retirez-le du doigt. Tenez la boucle et tirez le fil pour former le nœud.

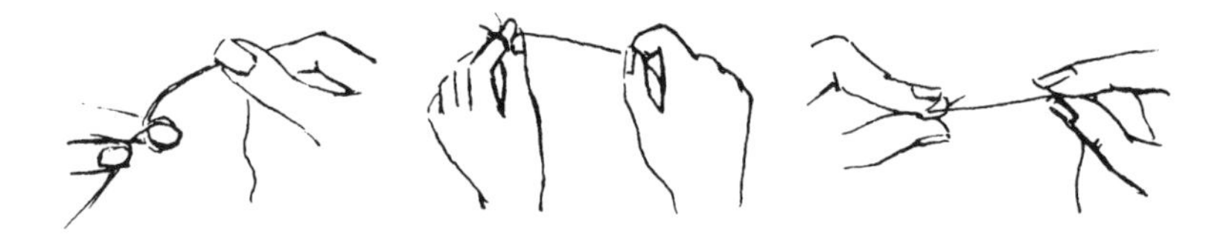

## NYLON

Le nylon tissé ou tricoté est un produit à base de résine polyamide, très résistant, peu absorbant, chaud, infroissable, peu salissant, à l'épreuve des mites et de l'humidité. Il tend à boulocher et à accumuler l'électricité statique. On peut le laver à la main ou à la machine (à l'eau chaude sur cycle doux). Retirez-le de la sécheuse dès qu'il est sec, car les mauvais plis peuvent devenir permanents sous l'action de la chaleur. Lavez-le séparément, parce qu'il a tendance à absorber la couleur des autres tissus. Pour réduire l'électricité statique, utilisez des adoucissants à tissus.

## ŒILLET

Petit trou pratiqué dans un tissu:

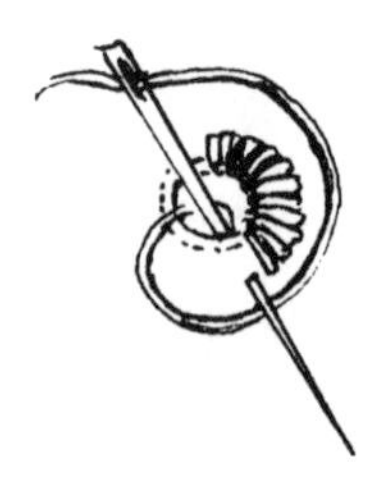

- dans une ceinture pour passer l'ardillon (tige métallique);
- dans une coulisse pour laisser passer le cordonnet.

- Percez un trou avec un poinçon. Renforcez-le avec des petits points devants. Faites ensuite des points de boutonnières sur le pourtour.
- Vous pouvez aussi faire poser des œillets de métal par un cordonnier, ceux-ci sont plus solides.

## ONGLET

On appelle onglet la couture oblique toujours à angle 45° dans un ourlet en coin (extérieur ou intérieur).

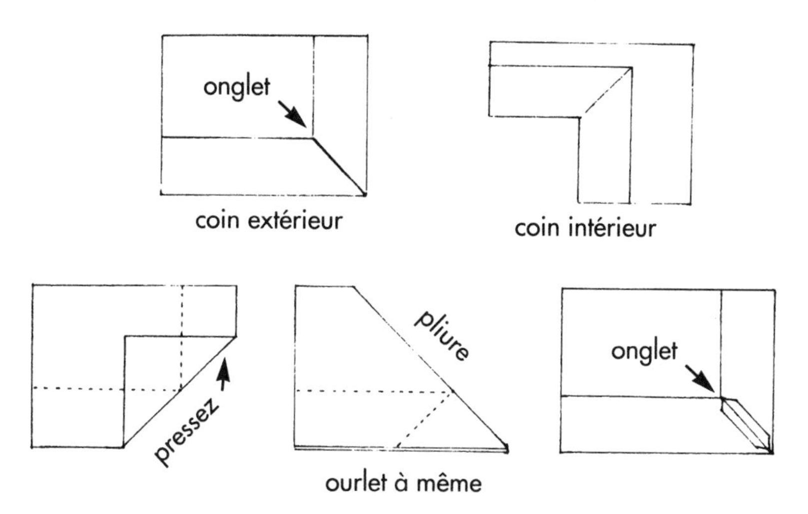


*Si l'ourlet est à même:*

- pliez le coin en diagonale;
- cousez sur la ligne de pliage;
- rasez les coins en laissant une valeur de couture de 6 mm;
- amincissez les angles;
- ouvrez au fer; rabattez; repassez.

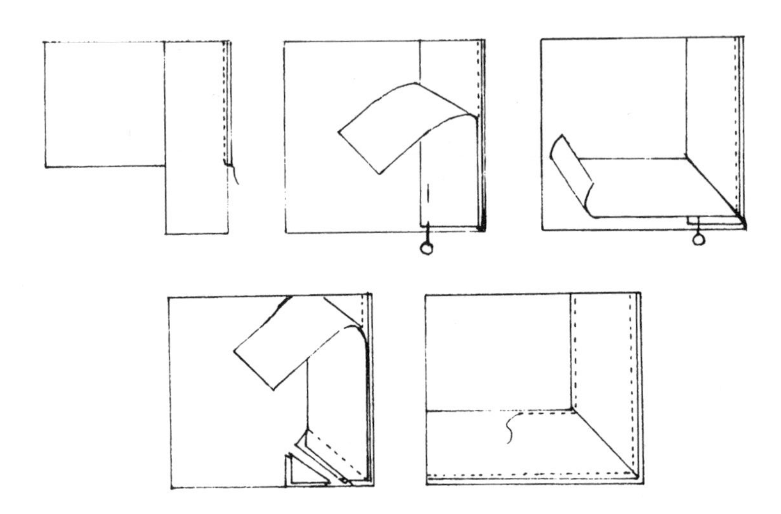

*Si l'ourlet est rapporté et préfini:*

- cousez la bande sur le bord, arrêtez au coin;
- repliez vers le haut puis à l'horizontale pour former l'angle;
- repassez et cousez sur le pli;
- amincissez l'angle;
- cousez la deuxième partie.

*Si l'ourlet est rapporté et en biais:*

- pré-pliez le biais, 6 mm de chaque côté;
- réduisez également à 6 mm la valeur de couture du vêtement;
- placez le biais sur le bord, épinglez (endroit sur endroit);
- faites un repère, là où devrait commencer la couture en onglet;
- faites une courte piqûre pour renforcer;

- entaillez jusqu'au repère;
- épinglez en formant un angle parfait; piquez;
- amincissez les ressources dans l'angle;
- repassez légèrement la parementure pliée sur elle-même;
- piquez sur ce pli, amincissez la pointe;
- amincissez l'angle; ouvrez l'onglet;
- rabattez la parementure sur l'envers;
- repassez en veillant à ce que l'ourlet reste plat aux angles.

## ORDRE DES OPÉRATIONS
(POUR LA CONFECTION D'UN VÊTEMENT)

1. Prise des mesures.
2. Achat du patron.
3. Achat du tissu, doublure...
4. Préparation et modification du patron.
5. Préparation et coupe du tissu.
6. Marquage, coutures et repères.
7. Assemblage.
8. Essayage et retouches.
9. Finition.
10. Pressage et repassage.

## ORGANDI (ORGANZA)

Tissu très léger, transparent, apprêté avec de la résine qui lui donne une raideur permanente. On appelle organdi un tissu dont la fibre composante est en coton, et organza un tissu dont cette fibre est en soie. On l'utilise pour confectionner des vêtements habillés. Parfois, on s'en sert comme entoilage léger et comme renfort dans une fente ou un gousset.

## OURLET

Repli cousu au bord d'une étoffe.

*Faux ourlet* (S'IL EST FAIT AVEC UN TISSU RAJOUTÉ).

- Le volume de l'ourlet doit être bien réparti.
- L'ourlet ne doit pas paraître sur l'endroit.
- Il doit aider le vêtement à bien tomber.
- Pour rendre un ourlet invisible, ne pressez que la valeur pliée de l'ourlet sur l'envers.

*Largeur*

- Plus le vêtement est droit et plus l'ourlet sera large (jusqu'à 7,5 cm).
- Plus il est arrondi, plus l'ourlet sera étroit (de 1,25 cm à 5 cm).
- Pour effacer la trace d'un ourlet sur un vêtement qu'on rallonge, passez une éponge imbibée de vinaigre blanc sur le pli et repassez avec une pattemouille.
- Des épingles à cheveux ou des trombones vous aideront à faire tenir en place certains tissus plastifiés ou trop fragiles pour qu'on utilise des épingles.
- Si vous devez seule marquer un ourlet, procurez-vous un trusquin à craie (règle sur pied munie d'une poire).
- Si vous avez l'aide d'une deuxième personne, il vous suffira d'une règle. Vous placerez des épingles tous les 5 cm.

*Méthode de préparation de l'ourlet*

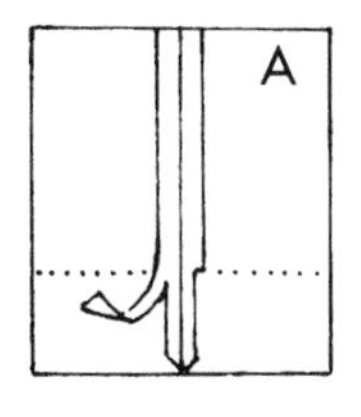


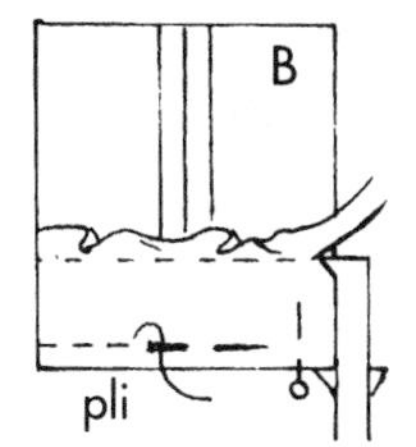


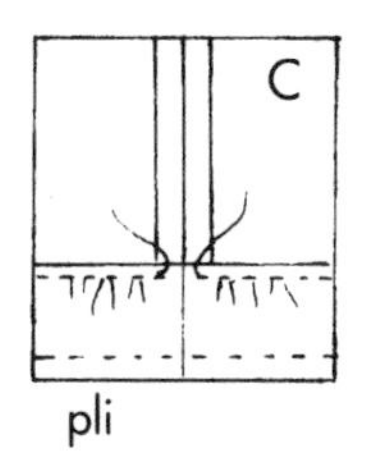


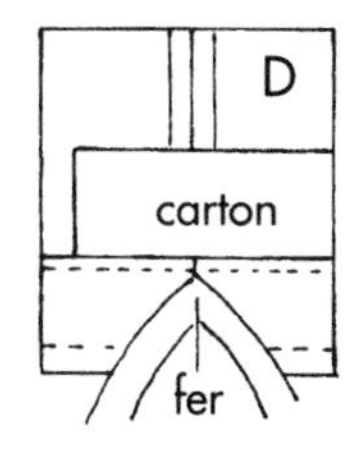


Quand la longueur de la jupe est bien établie:

- tracez ou faufilez sur la ligne de pliure;
- pliez, épinglez, faites un essayage; rectifiez si nécessaire;
- faufilez le long du bord plié (1,25 cm), il s'agit de points temporaires;
- régularisez la largeur de l'ourlet;
- enlevez le surplus;
- bâtissez à la machine à 6 mm du bord coupé;
- si le bord n'est pas droit, distribuez l'ampleur; voir *Embu;*
- mettez un papier ou un carton entre le vêtement et l'ourlet (pour ne pas marquer);
- résorbez avec fer et vapeur; pressez l'ourlet seulement.

*Finition des ourlets à la main*

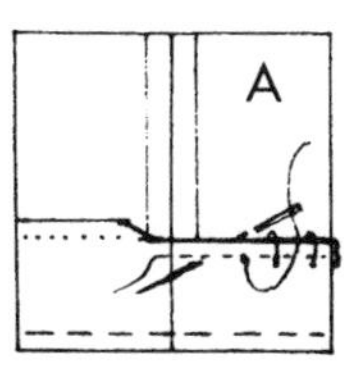


A Replié et piqué (pour tissus légers, assez rigides, lavables): fixez à points coulés.

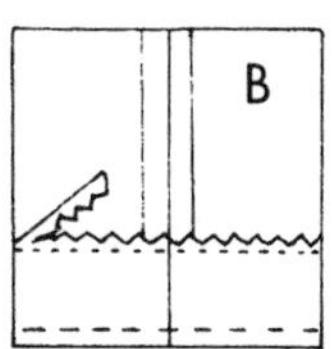


B Non plié et dentelé (pour tissus qui s'effilochent peu, tricots): fixez à points invisibles.

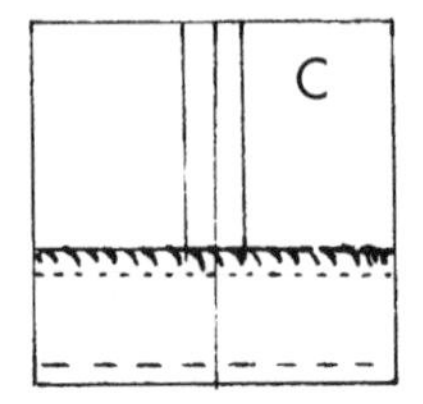


C Non plié et surfilé (pour tissus moyens ou lourds qui s'effilochent): fixez à points invisibles. Voir *Point de grébiche*.

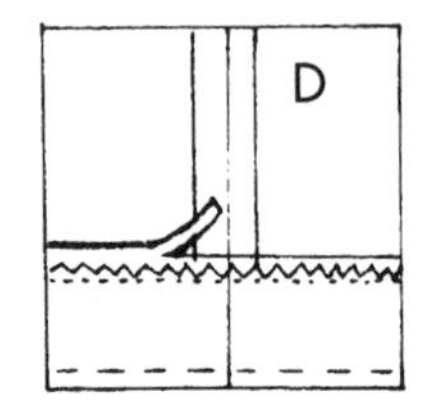


D Non plié, points zigzags (pour tissus qui s'effilochent, tricots): fixez à points de chausson.

*Finition des ourlets bordés*

ruban

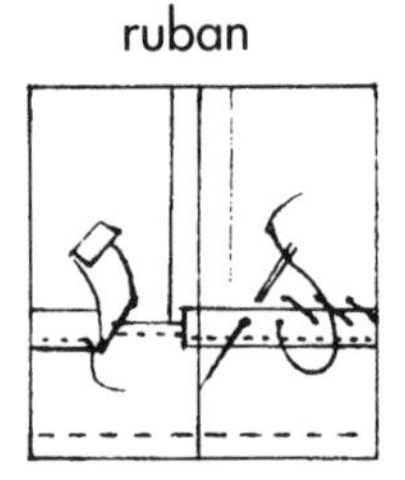

biais

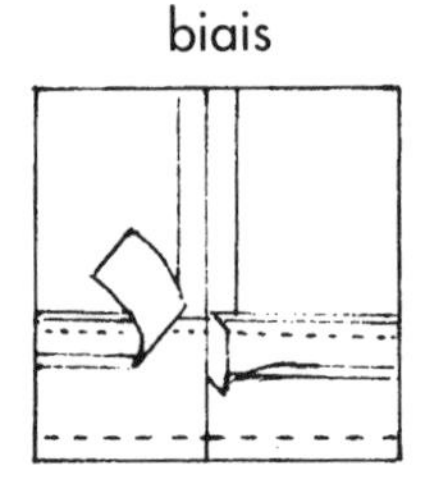

- Avec ruban à finir ou dentelle étroite, surpiquez et fixez à points verticaux ou de chausson.
- Avec biais de 1,25 cm piquez sur la pliure du biais, sur le bâti et repliez. Fixez à points coulés.

fini *Hong Kong*

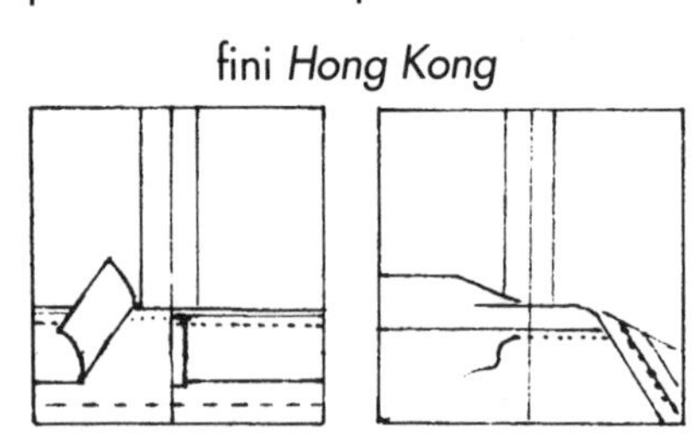

- Le fini *Hong Kong* convient surtout aux étoffes épaisses. Taillez un biais de 2,5 cm dans du tissu à doublure, piquez à 6 mm du bord, retournez sans le plier vers l'intérieur, pressez, cousez dans la rainure pour retenir la partie flottante, fixez au point invisible ou de chausson invisible.

## *Ourlets à double couture*

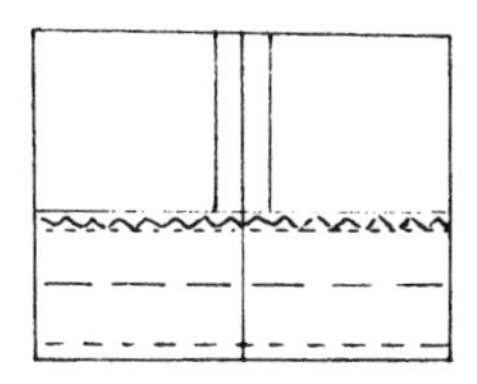
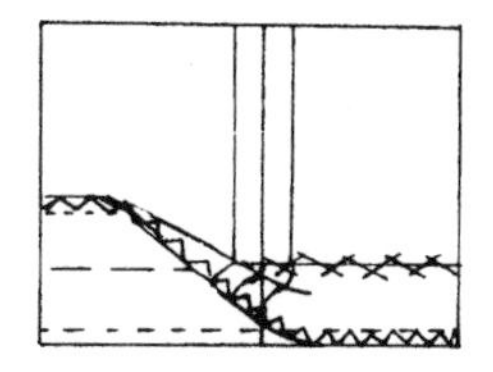
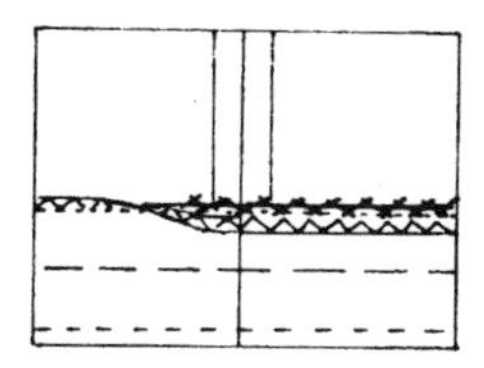

Ils sont recommandés pour les ourlets très larges et les tissus épais parce qu'ils adhèrent mieux au vêtement. À mi-chemin entre le bord et le pli, faites un rang de bâti (temporaire), repliez et fixez à points de chausson invisibles espacés de 1 cm. Redressez et fixez le bord fini à points de chausson invisibles.

## *Ourlets cousus à la machine*

Si votre machine fait le point invisible, suivez les instructions de votre manuel.

## *Ourlets étroits*

Coupez la valeur de couture à 1,25 cm. Pliez 6 mm. Repassez. Tournez de nouveau, repassez, piquez près du bord. (Attention de ne pas gondoler, surveillez le droit fil.) Ces deux types d'ourlets sont très solides pour les vêtements d'enfants.

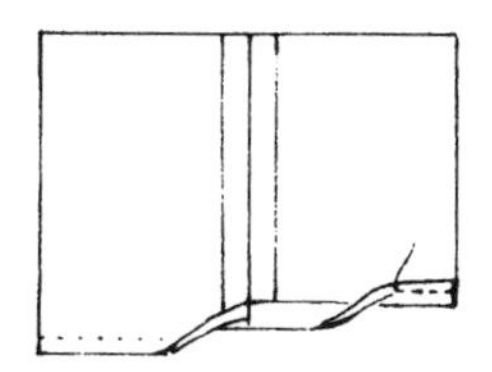

## *Ourlets pour jupe ligne A*

Pour ne pas avoir trop d'embu, corrigez simplement l'angle de l'ourlet aux coutures latérales pour l'ajuster à la jupe.

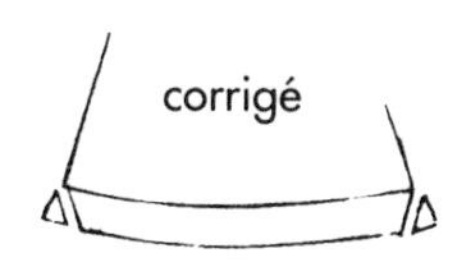

Vous pouvez aussi tailler un ourlet-parementure (en forme ou en biais).

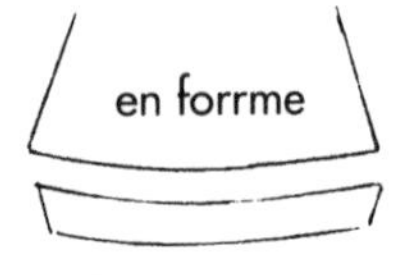


*Ourlets renforcés d'un biais en toile de laine*

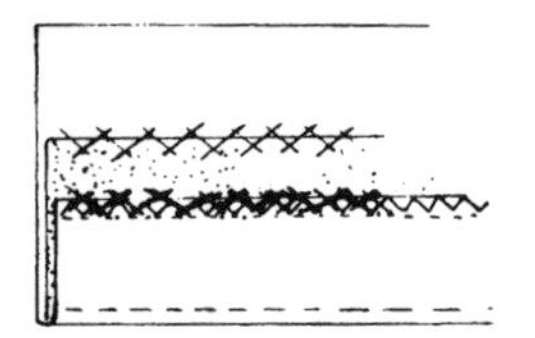

Ils servent à donner du corps à un vêtement d'allure tailleur, doublé, taillé dans un tissu moyen ou lourd. La doublure couvrira la toile et une partie de l'ourlet.

- Marquez la largeur de l'ourlet avec un faufil.
- Taillez un biais en toile de laine de 2,5 cm plus large que l'ourlet.
- Marquez au crayon un trait à 1,25 cm du bord du biais.
- Faufilez l'entoilage et l'ourlet, trait sur trait, entoilage vers le haut.
- Fixez les deux bords à points de chausson.
- Pliez l'ourlet sur le faufil et épinglez (la toile dépassera).
- Faufilez près de la pliure (6 mm).
- Fixez à points de chausson, un point sur l'ourlet et l'autre seulement dans l'entoilage.
- Pressez. Enlevez les faufils.

*Ourlets rouleautés*

Pour tissus très fins seulement. Voir *Rouleauté*.

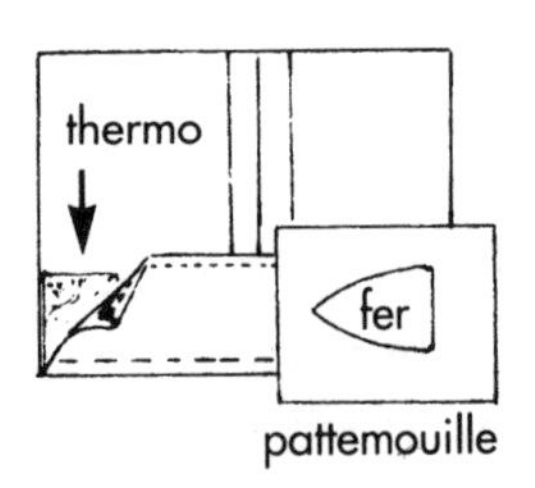


*Ourlets thermocollés*

Ces ourlets sont les plus rapides à

faire et les moins apparents. S'il est bien collé, un tel ourlet reste en place en dépit des lavages et des nettoyages à sec. Se vend en bande ou à la pièce. Quand l'ourlet est replié et faufilé au bas, placez la bande adhésive à la partie supérieure, pressez avec une pattemouille humide et un fer chaud. Laissez reposer jusqu'à ce qu'il soit sec.

PRÉCAUTIONS NÉCESSAIRES

- Évitez d'étirer le ruban thermocollant en le posant.
- Le fer ne doit pas toucher le ruban thermocollant.
- Posez le fer sans le glisser sur le tissu.

## **OUTILLAGE** (OU FOURNITURES DE COUTURE)

Vous obtiendrez de meilleurs résultats et le travail sera plus facile si vous avez de bons outils.
Commencez par une petite trousse de dépannage, vous augmenterez votre collection lorsque le besoin se fera sentir. Il est essentiel de toujours choisir des outils de bonne qualité.

### *Outils indispensables*

Un galon à mesurer, une règle. Une paire de ciseaux à tissu et une autre à tout usage. Du fil aux couleurs de base. Des aiguilles. Des épingles droites. Un crayon à tracer ou un morceau de savon séché. Un outil à découdre. Un fer et une planche à repasser. Une pattemouille. Une pelote à épingles ou un distributeur aimanté. Un miroir d'essayage. Une table à tailler. Une machine à coudre. Un éclairage adéquat. Des agrafes, des boutons-pression. Des élastiques étroits. Quelques boutons. Des épingles à ressort. Un coffret à rangement.

*Autres outils* (AU BESOIN)

Une jeannette, un coussin moufle, un coussin de tailleur, un rouleau, une planche de tailleur, une planche à velours, un battoir de tailleur, un passe-carreau, un trusquin, une règle à curseur, une équerre, une règle courbe, un poinçon, un safran, un passe-biais, un tourne-ganse, une cire d'abeille, un dé à coudre, un enfile-aiguille, des ciseaux à denteler, un crayon-craie, une roulette à tracer... Un coin de couture et un meuble de rangement. Un mannequin.

## OUVERTURE

Fente pratiquée dans un vêtement où se fixent les systèmes de fermeture (boutons, fermetures à glissière...).

## PANTALON

Vêtement qui couvre le corps à partir de la taille et habille les jambes séparément, par exemple: le pantalon corsaire, de golf, fuseau, à pattes d'éléphant... On trouve aussi le pantailleur ou tailleur-pantalon. (Tailleur dans lequel la jupe est remplacée par le pantalon.)

### *Pressage du pantalon*

Un pli bien net donnera du chic à un pantalon.

- Faites coïncider les coutures à plat sur la planche.
- Pressez le pli avant, des hanches jusqu'à l'ourlet.
- Pressez le pli arrière du niveau de l'entrejambe à l'ourlet.
- Utilisez le battoir à tailleur pour un pli très marqué.

- Laissez à plat jusqu'à ce qu'il soit sec avant de suspendre.

*Comment raccourcir un pantalon fuseau*

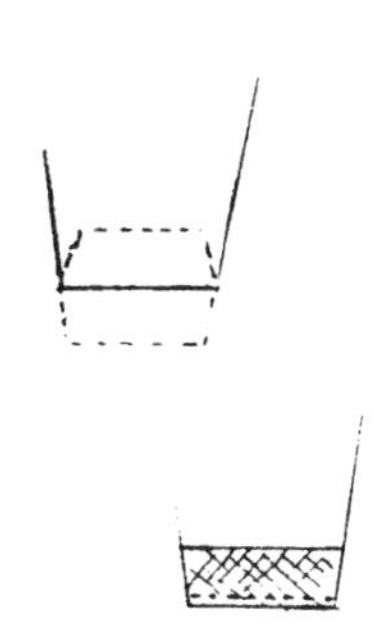

Quand on raccourcit un pantalon fuseau (plus étroit du bas), il manque du tissu dans l'ourlet. Il faut alors ouvrir les coutures latérales et cranter si nécessaire. Pour obtenir un bord parfait, faites-le très étroit ou alors ajoutez un biais (couture sur le repli du bas).

*Comment élargir un pantalon d'enfant*

Lorsqu'un pantalon est devenu trop serré, un jeans par exemple, ouvrez les coutures latérales externes et rajoutez une bande de tissu contrastant ou un galon décoratif.

*Comment élargir la taille d'un pantalon d'homme*

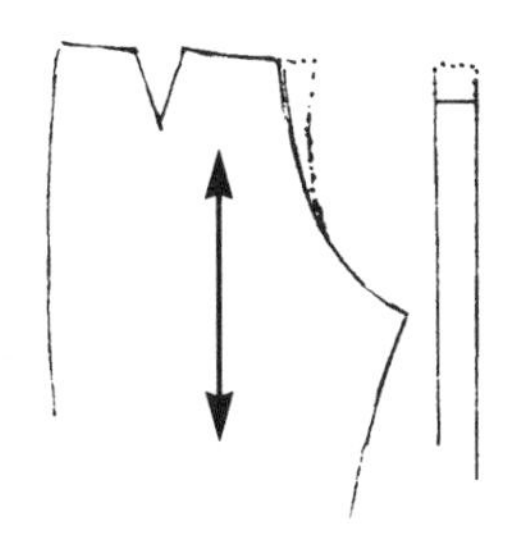

Si c'est un pantalon acheté, il y a habituellement un surplus de tissu à la couture centre dos, ce qui facilite la retouche nécessitée par l'augmentation de poids. Si vous taillez vous-même ce pantalon, agrandissez le patron à cet endroit. Tracez une ligne, en commençant à 2,5 cm de la ligne de coupe de la taille en allant à rien vers la ligne de coupe du siège. Augmentez d'autant la longueur de la ceinture.

*Pour ajouter de l'ampleur à la fourche*

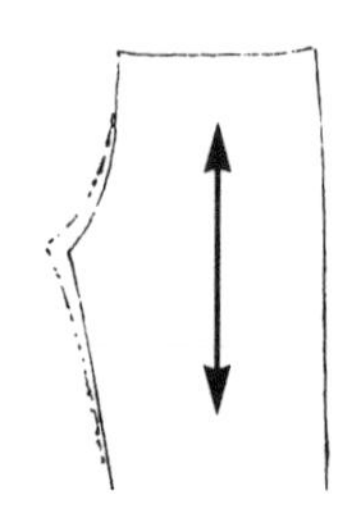

Afin d'avoir plus d'aisance, dessinez l'ajout de 2 cm sur le patron, en allant à rien vers la taille et à 12,75 cm dans l'entrejambe. Voir *Fourche* pour autres corrections.

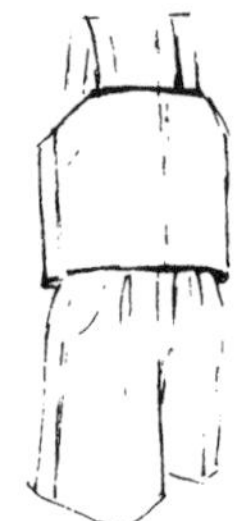

- Si votre pantalon d'été a un accroc au genou (ou une tache), coupez-le et faites-en un bermuda ou un short. Avec le reste de tissu, faites-vous un corsage bain-de-soleil.

## Parement

Revers posé sur l'endroit du vêtement dans un but décoratif.

## Parementure

Morceau de tissu cousu le long du bord (endroit sur endroit) d'une ouverture, puis rabattu sur l'envers pour donner au bord un aspect fini et pour cacher la couture, en général dans le même tissu que le vêtement.

*Comment tailler une parementure carrée pour une encolure* (AVEC DES RETAILLES)

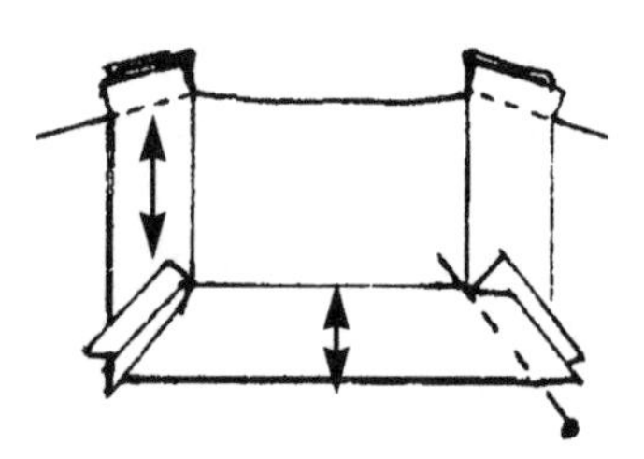

Prenez garde de bien tailler les bandes dans le même sens que la partie de la robe ou elles seront placées.

- Posez les bandes en bordure de l'encolure (endroit sur endroit).

- Épinglez en faisant très attention aux angles.
- Cousez-les séparément de la robe. Pressez les coutures ouvertes et réduisez-les.
- Assemblez comme d'habitude.

Si vous n'avez pas assez de retailles pour faire une parementure, vous pouvez doubler le corsage entièrement, pour obtenir un fini impeccable.

## PASSANT

Bande de tissu pliée et piquée dans laquelle on peut glisser une ceinture pour la maintenir en place. On peut aussi faire une chaînette en fil ou utiliser un anneau de métal comme passant selon le style du vêtement.

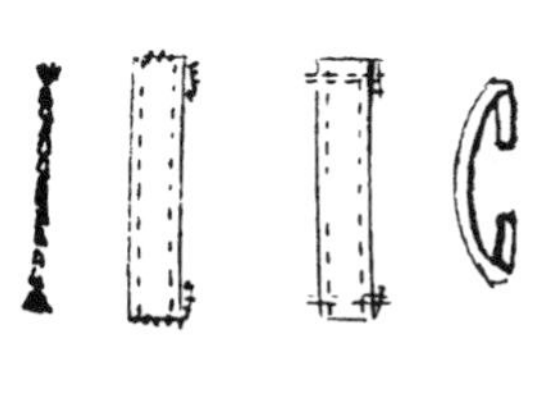

## PASSE-BIAIS

Grosse aiguille géante, émoussée pour rabattre les biais sur l'endroit ou ganser un biais.

## PASSE-CARREAU

Outil en bois composé d'un battoir et d'une surface pointue servant à repasser les angles et les pointes. Voir *Planches*.

## PASSEPOIL

Bande de tissu prise en double dans une couture, pour former une garniture en relief.

## PATRON

Forme en papier permettant de tailler les différents morceaux d'un vêtement. Lorsque le vêtement est une création personnelle, le patron est réalisé à partir d'un patron de base à ses mesures. On y retrouve les indications suivantes: les pinces, les repères, les flèches de droit fil, la pliure, les marges de couture et d'ourlet.

### *Patron de base*

Patron réalisé à partir de gabarits, sur lequel sont effectuées toutes les modifications permettant de créer de nouveaux modèles.

### *Achat du patron commercial*

Consultez le catalogue de votre marque préférée. Référez-vous aux onglets qui indiquent le genre de patron de chaque section afin de ne pas perdre de temps. Lisez les renseignements sur le patron que vous avez choisi. Certains patrons comportent des variantes du modèle de base. Vous y trouverez aussi des vues de dos, le métrage requis selon la largeur du tissu et des recommandations vous permettant de choisir le tissu approprié: tricot, tissu à rayures, à sens... Le tableau des mesures vous aidera à choisir la grandeur appropriée à vos mesures, rectifiez-les si nécessaire. D'après la forme du modèle et le nombre de pièces du patron, vous jugerez s'il est plus ou moins facile à réaliser.

- Surveillez les rabais accordés assez régulièrement sur les patrons, on en offre alors deux ou même trois pour le prix d'un. Consultez aussi le tableau indiquant si vous avez besoin de doublure, d'entoilage ainsi que les fournitures nécessaires (fil, boutons, agrafes...).

- Référez-vous au degré de difficulté indiqué sur chaque patron (facile, moyen, compliqué). Ajustage sans histoire, E.S.P. (patron extra sûr pour couture infaillible). Jiffy (jamais plus de cinq morceaux à assembler) ou Super Jiffy (trois morceaux). Rapide et chic. Ajustable (pour petite jeune femme). Choix de la débutante. Mesures spéciales. Ajustage personnel «pour toute silhouette»...

## *Ajustement du patron*

Vous devriez faire les rectifications sur le patron à plat. Avant de tailler dans le tissu, il pourrait être utile de faire un essayage sur une toile pour en vérifier l'ajustement final, et afin de ne pas gaspiller le tissu prévu pour le vêtement. Faites les retouches sur une toile de base (coton écru, tissé assez serré sans apprêt, dont le sens du biais n'est pas trop extensible). Voir *Retouche.*

## *Préparation du patron*

- Défroissez le patron avec un fer tiède et sec avant de vous en servir. (La vapeur le ferait froncer et rétrécir.)
- Séparez les morceaux, en ajustant une marge à la valeur de couture pour tissu qui s'effiloche et pour placer les crans vers l'extérieur.
- Faites les retouches s'il y a lieu (différence entre vos mesures et celles du patron). Voir le tableau dans *Mesures.*
- Suivez le guide d'instruction contenu dans la pochette. Si vous faites des modifications, vérifiez bien les repères pour qu'ils coïncident. Voir *Plan de coupe, Plan de montage.*

## PATTE

### *Patte de boutonnage*

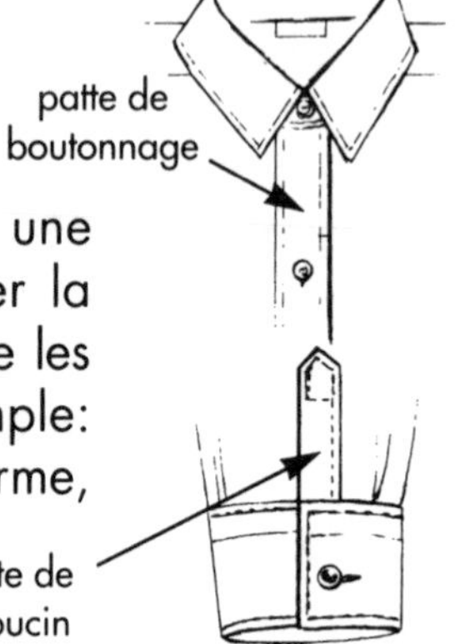


Partie du vêtement qui en chevauche une autre (appelée sous-patte) pour assurer la fermeture d'un vêtement. On y applique les boutons et les boutonnières, par exemple: patte polo, patte à fente droite ou en forme, patte capucin.

### *Patte d'épaule*

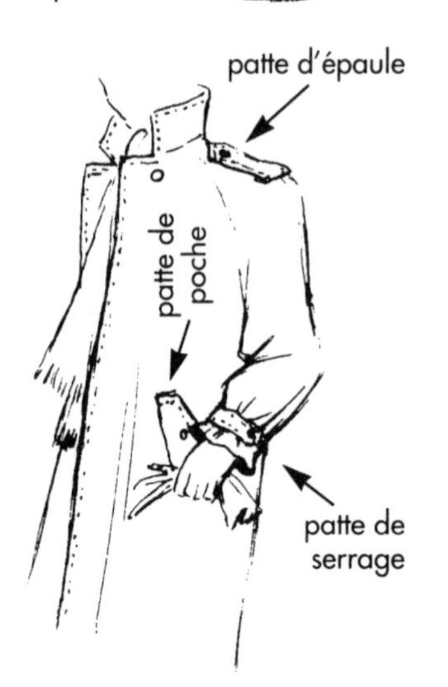


Souvent décorative, elle est prise par une couture sur une extrémité, retenue par un bouton à l'autre et située à l'épaule.

### *Patte de serrage ou de réglage*

Patte qui sert à réduire l'ampleur d'une manche ou d'une jambe de pantalon.

## PATTEMOUILLE

Pièce de tissu que l'on place entre le fer à repasser et le tissu, pour protéger celui-ci. On peut s'en servir à sec ou humide sur l'endroit du tissu.

- En coton, elle supportera des températures élevées pour repasser le lin et le coton. (Un linge à vaisselle est suffisant.)

- En laine, elle convient aux lainages et aux fermetures à glissière en plastique.
- En organdi ou en gaze transparente, elle sert à presser des petits détails et des tissus délicats.
- En papier Kraft ou en tissu traité au silicone, elle sert aux tissus épais.

*Pour passer à la vapeur*

Utilisez la vapeur, sans repasser mais en rapprochant le tissu de la vapeur afin de faire ressortir les poils ou de faire disparaître les faux plis. Mettez une pattemouille humide sur le fer chaud et faites passer le tissu au-dessus de la vapeur.

## PEAU DE CHAMOIS

- Avant de réutiliser une peau de chamois, nettoyez-la. Trempez-la dans un bon litre d'eau chaude, ajoutez un peu de savon en poudre, laissez tremper une heure. Lavez et rincez à l'eau chaude. Suspendez pour sécher. Étirez à quelques reprises pour que la peau reprenne sa forme pendant le séchage.

## PELOTE À ÉPINGLES

- Faites votre pelote à épingles (avec retailles de tissu), donnez-lui une forme décorative et remplissez-la de grains de café séchés. Le café empêche les aiguilles et les épingles de rouiller.

## PIED-DE-BICHE

Le pied-de-biche est la pièce de la machine à coudre qui maintient le tissu sur les griffes d'entraînement et sous l'aiguille.

- Pour la couture droite, il comporte deux branches de longueur égale et une marque indiquant l'endroit où l'aiguille piquera au centre de l'ouverture.
- Il peut aussi servir à faire des zigzags, la finition et le raccommodage, si son ouverture est assez large.
- Le pied à broder est plus court et un petit trou sur le devant permet d'y glisser un fil. Il est indiqué pour la pose de fil élastique ou de coton perlé pour le fronçage.
- Le pied pour la couture invisible est muni d'une pièce métallique qui sert de guide pour le pli du tissu.
- Le pied à boutonnières varie légèrement d'une machine à l'autre.
- Le pied à repriser est rond et troué au centre.
- Le pied à fixer les boutons est court et son espacement permet d'aller d'un trou à l'autre.
- Le pied à coudre les fermetures éclair est simple et troué de chaque côté, il sert aussi à poser les biais gansés.
- Le pied ourleur a des branches de longueur inégale et un guide au centre. Ce pied replie le tissu dans la coquille de l'ourleur.
- Le pied rabatteur, le pied fronceur... Voir votre manuel pour bien les utiliser.

## PINCES

Les pinces servent à ajuster le vêtement à la forme du corps. Notez que les pinces sont toujours jumelées: il faut veiller à ce qu'elles soient de la même longueur de chaque côté; une épingle placée perpendiculairement à chaque extrémité vous servira de guide; orientez les pinces pour obtenir l'ampleur aux endroits désirés, pour les pinces de buste, par exemple (façon fuseau ou française).

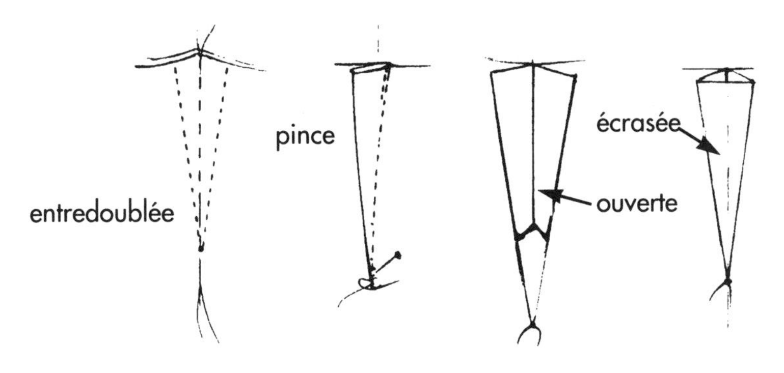


### *Conseils sur la confection des pinces*

- Cousez et pressez les pinces en commençant par l'extrémité la plus large, en direction de la pointe mais sans la dépasser.
- Servez-vous d'une moufle ou d'un coussin pour les presser afin de conserver la forme arrondie.
- Pressez à plat et couchez-les ensuite dans le sens désiré (les verticales vers le milieu du dos et les horizontales vers le bas).
- Fendez les pinces dans les tissus épais, jusqu'à 1,25 cm ou 2,5 cm de la pointe; rognez si nécessaire puis pressez les pinces ouvertes avec la pointe du fer.

- Pour les pinces dans un tissu entredoublé, faufilez les deux tissus ensemble au centre de la pince.
- Ne faites pas de marche arrière à la pointe; faites plutôt un nœud à la main avec les fils.
- Pour un tissu plus lourd, évitez de coudre jusqu'à la pointe: arrêtez à 2 mm de l'extrémité.
- Pressez une pince en ouvrant le cône de la pince et en l'écrasant tout en la centrant.

*Pince de correction*

Pli qu'on forme sur une toile d'essayage (ou de redressement) pour corriger un excédent d'ampleur.

*Rentrée de pince*

Vous pouvez faire disparaître certaines pinces pas trop profondes dans des vêtements de lainage ou de tissu souple. Pour ce faire, cousez la pince dans la triplure et résorbez progressivement le tissu à la vapeur. Le travail se fait sur un coussin de tailleur pour garder l'arrondi. Cela donne un vêtement d'allure professionnelle.

## PIQÛRE

Synonyme de couture, série de points formant une couture.

## PIVOTER

Technique utilisée pour coudre des angles à la machine. Arrêtez à l'angle en laissant l'aiguille plantée dans le tissu;

levez le pied-de-biche; tournez le tissu, baissez le pied-de-biche et continuez. Suivez le guide de coin fait avec un ruban adhésif placé à angle droit.

## PLANCHES

### *Battoir de tailleur*

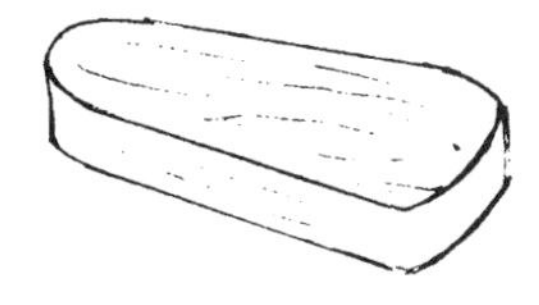

Un bloc en bois dur et lisse utilisé pour aplatir les coutures d'un vêtement en lainage lors de la confection «tailleur». Pressez d'abord à la pattemouille, retirez le fer et la pattemouille et appliquez le battoir en appuyant fermement afin de résorber le reste de vapeur et pour laisser la surface plane et non lustrée.

### *Mini-planche* (JEANNETTE)

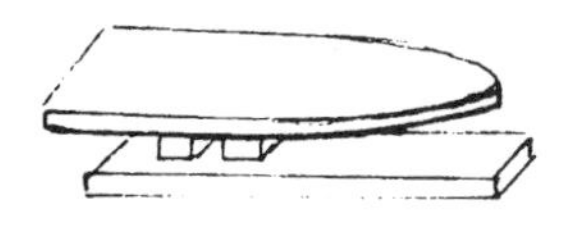

Une petite planche étroite montée sur un support, conçue pour le pressage des manches, des encolures et des autres parties étroites des vêtements. On peut y enfiler facilement une manche, ce qui permet de bien la repasser.

### *Planche à repasser pliable*

- Choisissez une planche à repasser ajustable et réglez-la à la bonne hauteur pour travailler.
- Le molleton qui la recouvre doit être très épais et très ajusté.
- Une toile roussie ou tachée peut marquer un vêtement pâle.
- Votre planche à repasser doit être stable.

## *Planche à tailler*

Dans le commerce, on vend ce type de planche en carton épais qui se replie, prend donc moins d'espace de rangement et qu'on peut placer sur une table ordinaire. Le droit fil y est clairement indiqué.

## *Planche à velours*

Un lit d'aiguilles qui sert à repasser les tissus à poils, afin de ne pas en aplatir la surface. On place l'endroit du tissu sur les aiguilles. Vous pouvez la louer si vous n'utilisez pas souvent cette sorte de tissu pelucheux. S'il vous est impossible de vous la procurer, repassez votre tissu à l'aide d'une serviette éponge ou d'un autre morceau de velours: placez poil contre poil et pressez sur l'envers.

## *Planche effilée* (PASSE-CARREAU)

En pointe à une extrémité, elle sert à ouvrir les coutures et à sortir les coins des cols et des revers. On l'utilise sur le bois pour obtenir des bords nets, ou rembourrée pour des bords moins marqués.

## *Planche tailleur*

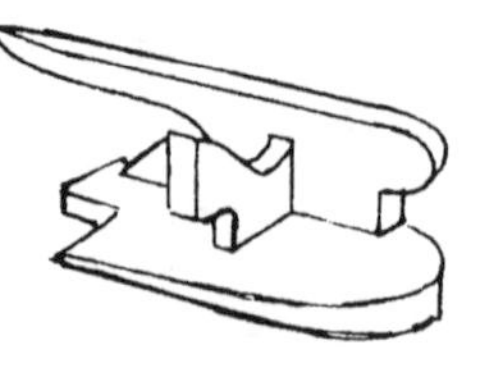

Une planche tout usage qui combine une pointe effilée et différentes surfaces pour presser tous les genres de coutures. Pliante, elle est idéale comme planche à repasser de voyage.

## PLAN DE COUPE (OU GUIDE DE COUPE)

Choisissez le plan de coupe selon la largeur du tissu, le modèle et la taille du patron indiqués sur le feuillet d'instruction.

## PLAN DE MONTAGE

Il indique l'ordre des étapes à suivre pour l'assemblage. Voir *Assemblage des coutures.*

## PLAQUE D'AIGUILLE

Morceau de métal avec un trou où passe l'aiguille de la machine quand elle pique, et deux fentes pour laisser passer les griffes qui font avancer le tissu. La plupart des plaques d'aiguille ont des points de repère sur la droite servant de guide couture pour vous aider à conserver une marge droite et égale.

## PLIS

Formés par pliage ou repassage d'un tissu, ils permettent de donner de l'ampleur ou une note décorative à un vêtement. Avant de presser les plis, essayez le vêtement et faites les modifications nécessaires.

### *Pli Dior*

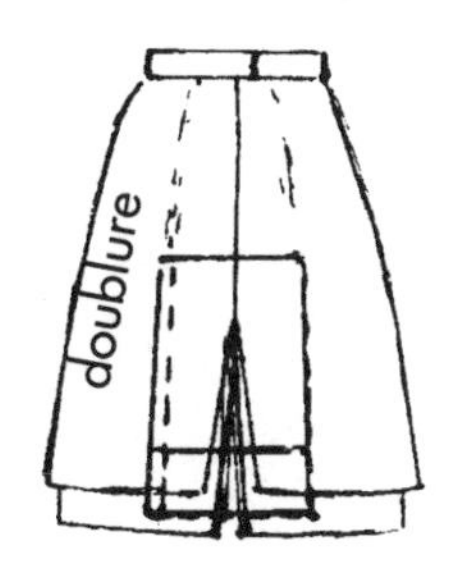


Sur jupe droite à fente, faites un fond de pli séparé, cousu sur la doublure. Morceau de tissu droit fil de 23 cm sur 30,5 cm et doublure de 23 cm sur 30,5 cm. Cousez le tissu et la doublure de bout en bout. Cousez de chaque côté. (Tirez le fil pour que la doublure soit moins large que le tissu.) Tournez comme une poche, après avoir aminci les valeurs de couture et les pointes. Pressez. Posez ce morceau sur la doublure à 1,25 cm au dessus du bord de la jupe, la doublure étant de 2,5 cm plus courte que la jupe.

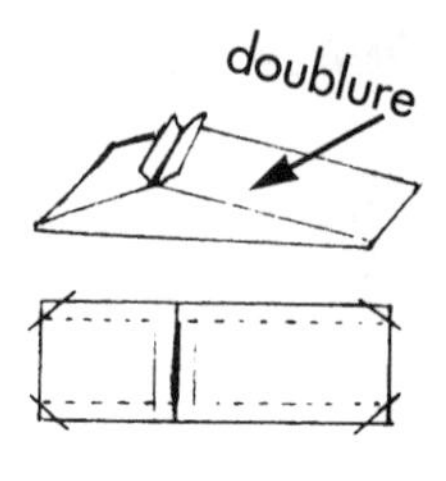


## *Pli marchand*

Une pièce de tissu est généralement pliée en deux et roulée sur une base rigide pour être ensuite rangée sur les tablettes d'un magasin. L'endroit du tissu est à l'intérieur pour le lainage et à l'extérieur pour le coton, et le pli marchand au centre; comme il est souvent difficile à faire disparaître, évitez-le au taillage.

## *Pli permanent*

- Après le lavage, replacez les plis de la jupe bien serrés et enfilez la jupe dans un bas de nylon. Suspendez pour le séchage et vos plis auront l'air frais pressés.
- Si vous remarquez des faux plis sur une jupe plissée permanent, pressez-les avec un linge imbibé d'une solution composée de deux parties d'eau pour une partie de vinaigre.
- Pour déplisser un tissu plissé permanent, découpez une bande de papier brun (sac d'épicerie) que vous saturerez d'eau. Essorez-la légèrement et posez-la sur le pli que vous voulez faire disparaître. Repassez-la ensuite avec un fer chaud jusqu'à ce que le papier soit sec. Vous obtiendrez généralement un bon résultat.
- Voir *Raccourcir, Rallongement.*

*Pli piqué*

Pressez sur la couture pour l'aplatir, pliez dans le sens indiqué sur le patron; pressez avec une pattemouille si vous travaillez sur l'endroit.

REMARQUES

Quel que soit le genre de pli indiqué sur le patron de votre jupe (pli plat, pli creux, pli soleil), suivez les instructions. Bâtissez les plis. Ils seront bien indiqués si vous les faufilez de haut en bas. Pressez-les sur l'endroit et sur l'envers avec une pattemouille transparente. Avant d'assembler ce morceau à un autre, enlevez les fils de bâti et pressez de nouveau sur les deux côtés. Placez des bandes de papier d'emballage sous chaque pli. Terminez l'ourlet. Rebâtissez les plis de l'ourlet et pressez.

## POCHE

La poche est une partie de vêtement en forme de petit sac dans laquelle on peut y glisser la main ou introduire de petits objets. Elle peut être appliquée ou intérieure.

appliquée surpiquée à la machine

- La poche appliquée se pose sur l'endroit du vêtement, à la main ou à la machine. Elle est de diverses formes et souvent doublée. Facile à faire, la poche appliquée est égale à la largeur de la main plus 3 cm ou 4 cm.

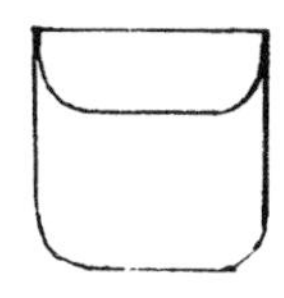

appliquée à rabat posée main

- L'emplacement de la poche sur le vêtement varie selon sa fonction. Est-elle fonctionnelle? Placez-la où elle sera la plus accessible. Est-elle décorative? Placez-la à votre fantaisie.

## REMARQUES

Si les poches sont jumelées, assurez-vous qu'elles sont de même taille, utilisez un gabarit en carton lors de la préparation.

- Si le tissu est trop lâche, vous pouvez l'entoiler et le doubler; il conservera ainsi mieux sa forme.
- Les poches faites de tissus à rayures ou à carreaux doivent s'agencer ou alors être carrément opposées au reste du tissu ou encore posées en biais.

*Poche cavalière*

Prise dans une découpe, oblique ou incurvée.

*Poche coupée*

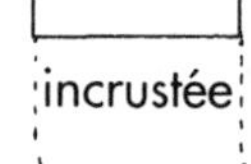

Elle ressemble à une grande boutonnière bordée et peut être bordée, à rabat ou passepoilée. Elle est un peu plus longue à confectionner, et il vous faut suivre attentivement les instructions du patron. Vous pouvez la placer à l'horizontale, à la verticale, en forme de croissant, ou en biais. Voir *Raglan*.

*Poche décollée*

Conçue de façon à bailler.

### *Poche intérieure*

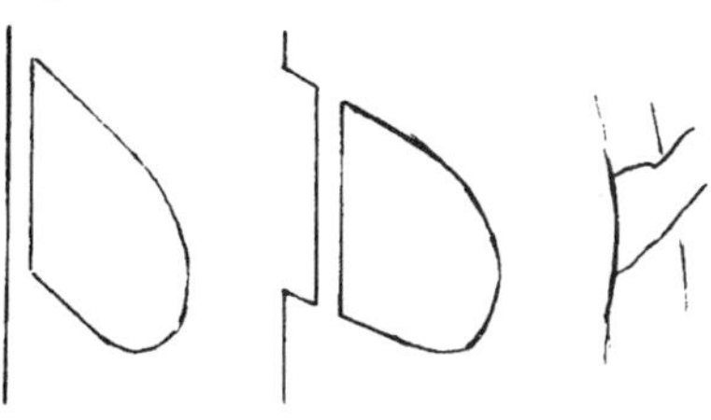

Elle est souvent faite en tissu à doublure, qui ne donne que peu de volume; cette poche ne paraît pas sur l'endroit du tissu. Elle peut être montée dans une couture ou prise dans une découpe coupée. Les poches intérieures sont très utilisées, il est donc nécessaire de les renforcer d'une couture de soutien. La poche montée dans la couture est faite d'une pièce (prolongement du vêtement) ou encore elle est rapportée dans la couture ou l'extension.
Si vous changez l'emplacement d'une poche montée dans la couture, retracez soigneusement les repères.

### *Poche kangourou*

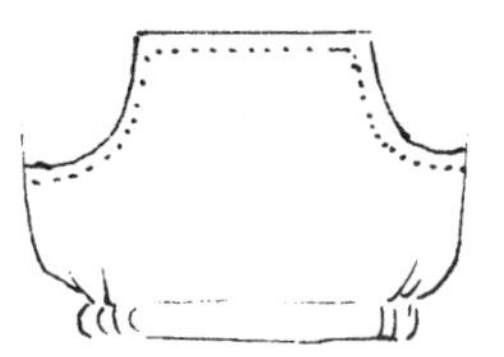

Elle est cousue au centre du vêtement. Voir *Kangourou.*

### *Poche soufflet ou à pli*

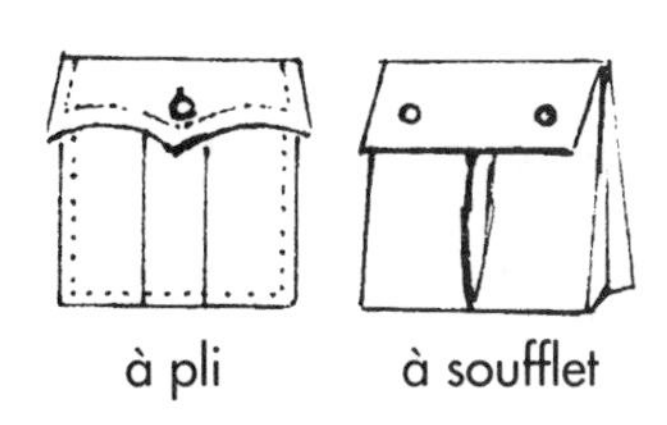


Elle donne de l'extension à la poche. Voir *Plis, Soufflet.*

## **POIDS À DRAPERIE** (VOIR *CHAÎNE*)

Utilisés pour améliorer la tombée d'un vêtement, on place ces poids dans de petits sacs de tissu qu'on coud à la main sur les coutures et les ouvertures, à l'aide d'un point roulé en haut seulement. Il ne doit pas déformer, mais améliorer le tombant.

## POIGNET

Bande située au bas d'une manche. On en distingue plusieurs sortes comme le poignet à volant (A), à rabat en forme (B), français ou mousquetaire (C), à patte continue (D), à bande droite (E).

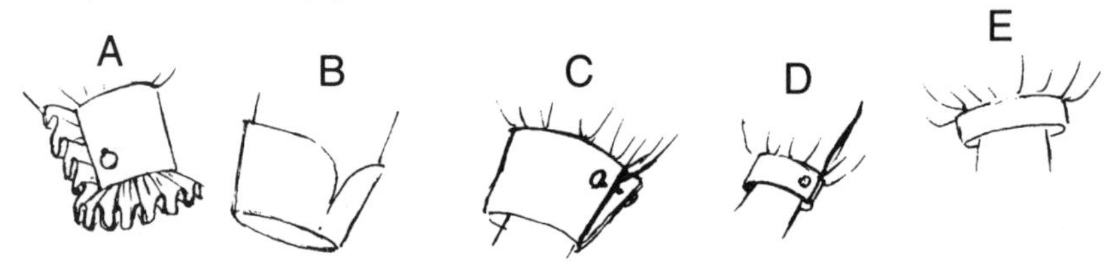


## POINT MACHINE

Le point droit est utilisé pour la couture normale à la machine en marche avant ou arrière. La longueur du point dépend de l'usage que l'on fera du vêtement. Vérifiez la tension pour obtenir un point parfait. Voir *Tension.*

### *Problèmes et solutions des points machine*

ILS SERONT IRRÉGULIERS

- Si vous poussez ou tirez trop sur le tissu.
- Si la pression du pied presseur est trop faible ou trop forte.
- Si la charpie s'est accumulée entre les dents de la griffe.

ILS SERONT ESCAMOTÉS

- Si l'aiguille n'est pas de la bonne taille ou du bon type.
- Si l'aiguille est épointée ou tordue.

- Si vous cousez à une vitesse irrégulière.
- Si vous tirez trop sur le tissu en cousant. (Voir aussi les trois points précédents sous: irréguliers.)

IL Y A RUPTURE DU FIL INFÉRIEUR

- Si la tension inférieure est trop forte.
- Si la canette est bosselée (il faut la remplacer).
- Si le contour du trou de la plaque est abimé (repolissez ou changez celle-ci).

La plupart des dérangements proviennent d'un emploi inadéquat de la machine. Vérifiez si le volant est bien vissé (après le remplissage d'une bobine), si tout est propre et en bonne condition. À quand remonte le dernier huilage?

## POINT MANUEL

### *Point arrière*

Il est plus solide que le point devant et s'exécute plus vite que le point de piqûre. Il se fait de droite à gauche. Faites un point en arrière, passez l'aiguille sous le tissu et ressortez par devant à une distance durable. Fixez par deux points superposés le début et la fin de la couture. Les points sont espacés.

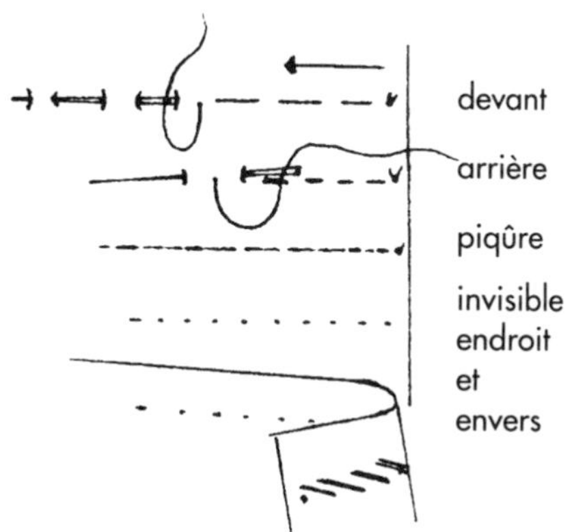

### *Point arrière invisible* (POUR LES FERMETURES ÉCLAIR)

Faites un point arrière à peine perceptible. Ensuite, faites ressortir l'aiguille 6 mm plus loin. Recommencez. Il ne paraît presque pas à l'endroit (tout est à l'envers).

### *Point d'arrêt*

Point exécuté au commencement ou à la fin d'un faufil, par exemple. Repiquez l'aiguille en arrière de 6 mm, en la faisant ressortir à son point de départ. Pour plus de solidité, refaites un second point par-dessus; le point d'arrêt sert à fixer le fil.

### *Point de chausson, croisé ou de flanelle*

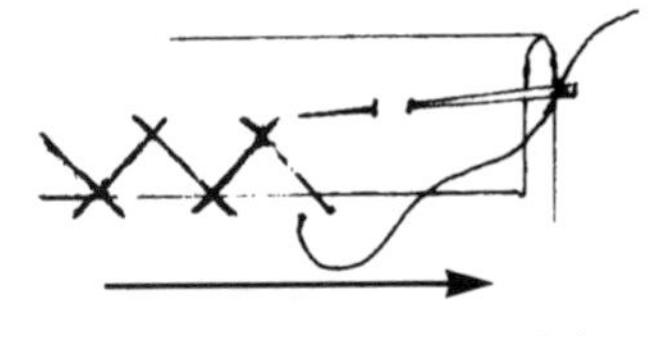

Ce point décoratif maintient à plat certaines coutures et à l'ourlet, il empêche l'effilochage. Il peut servir à réunir deux morceaux juxtaposés sans ajouter d'épaisseur. Il est légèrement élastique et convient aux ourlets en tissu extensible. Il s'exécute de gauche à droite.

### *Point de chevron* (DE REVERS, DE TOILE)

Point permanent utilisé dans les parementures et les cols tailleur. Le fil doit être de la couleur du tissu. Ce travail se fait sur le côté de la toile. Pour fixer cette dernière au tissu, faites un point devant oblique d'une longueur de 2,5 cm en ressortant au milieu de ce dernier sans tourner le tissu.

*Point de feston ou de boutonnière*
Voir *Boutonnière*.

*Point de grébiche*

Ressemble au point utilisé pour les boutonnières, mais en plus espacé pour empêcher l'effilochage du tissu.

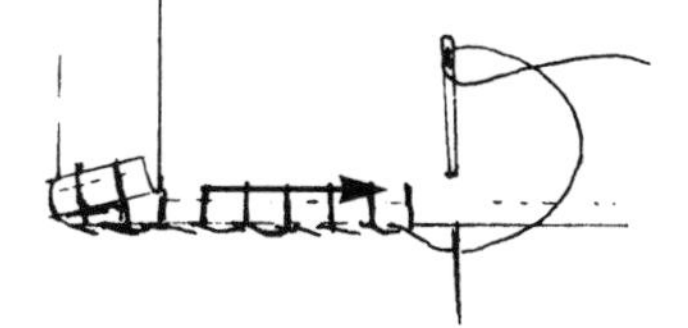

*Point de piqûre*

Point le plus solide, il simule le point à la machine, mais les points se touchent. Il se fait comme le point arrière, en repiquant de droite à gauche dans la sortie du point précédent.

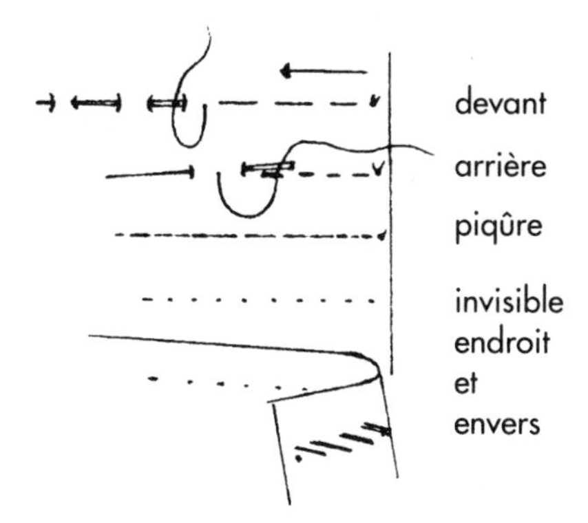


*Point de roulotté ou rouleauté*
Voir *Rouleauté*.

*Point de sellier*

Surpiqûre à la main dont les points sont plus longs sur l'endroit du vêtement et plus courts sur l'envers. On l'utilise comme décoration aux revers, aux cols, aux poches de manteau en poil de chameau, par exemple. Voir *Surpiqûre.*

*Point de surfil ou surfilé*

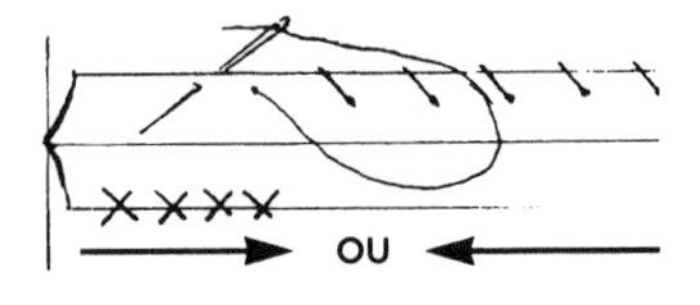


On utilise ce point pour éviter l'effilochage des tissus. Oblique il se fait de gauche à droite, chevauchant sur le bord du tissu. Ne tirez pas trop sur le fil, pour ne pas replier le tissu. Pour les tissus qui s'effilochent beaucoup, revenez en sens inverse (points croisés). Il est préférable de faire ce point avec un fil double.

*Point de surjet*

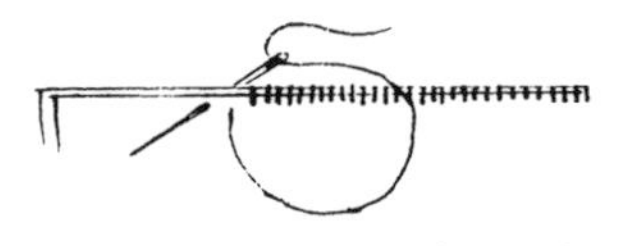

Solide mais assez long à exécuter. Invisible, on l'utilise pour la lingerie, les nappes de toile, le raccommodage et le montage des dentelles. Vertical, il se fait de droite à gauche par de petits points rapprochés et réguliers, en prenant très peu de tissu (un ou deux fils). Les deux parties de point une fois écartées ne forment pas de relief.

*Point de tailleur*

Il est utilisé comme point de repère (marquage). Prenez une longue aiguillée de fil double de couleur contrastante. Ne faites pas de nœud, mais un petit point en prenant le patron et les deux épaisseurs du tissu. Laissez dépasser un long bout de fil. Faites un deuxième point en prenant toutes les épaisseurs et laissez de grandes boucles. Retirez le patron sans le déchirer, en coupant les fils. Ces points temporaires sont très lâches.

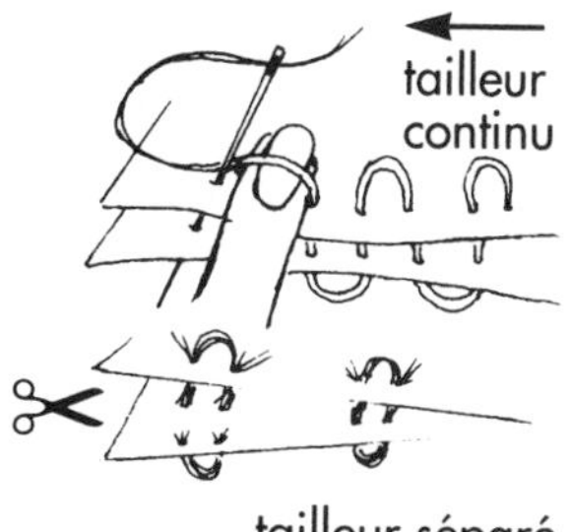


## *Point devant*

Ce point convient pour assembler deux ou plusieurs morceaux de tissu et offre une résistance faible. Il s'exécute de droite à gauche et la grandeur des points est égale sur l'envers et sur l'endroit. Il est utilisé en lingerie. Pour arrêter le fil, cousez deux points l'un sur l'autre. Voir *Bâti, Faufil.*

## *Point d'ourlet*

Ce point se fait de droite à gauche à 6 mm dans le bord replié, en prenant un brin de fil face à la sortie de l'aiguille dans le vêtement. Rentrez l'aiguille dans le repli de l'ourlet et, 6 mm plus loin, ressortez. Quand le tissu est épais ne faites pas de repli (rentrée).

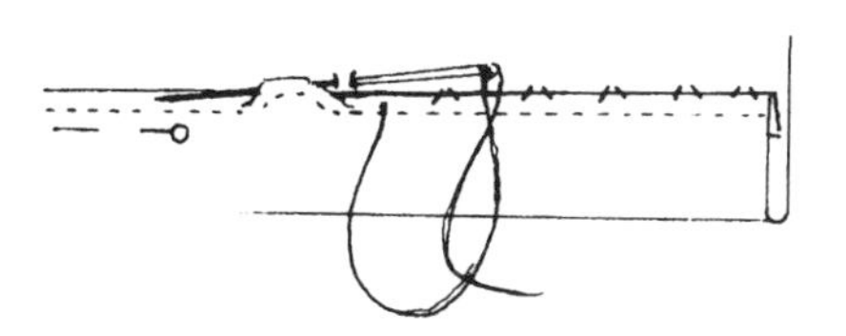

## *Point glissé ou coulé* (VOIR *POINT D'OURLET*)

Fixez d'abord avec un nœud dans le pli de l'ourlet. Piquez l'aiguille dans un ou deux fils du vêtement près du bord de l'ourlet juste sous le premier point; puis glissez l'aiguille horizontalement dans le bord replié, ressortez 3 mm plus loin et recommencez. Ce point sert à fixer un ourlet, terminez ensuite par un point d'arrêt.

*Point invisible*

Un point devant (un grand point dessous et un petit dessus).

*Point mode chausson* (POUR VÊTEMENT À DOUBLURE SÉPARÉE),
*Point à baguer*
Voir *Baguer, Entoilage.*

*Point mode coulé* (POUR VÊTEMENT TRIPLÉ)

Un point dans la doublure et l'autre dans l'ourlet qui lui fait face, de sorte qu'on ne voit pas le fil.

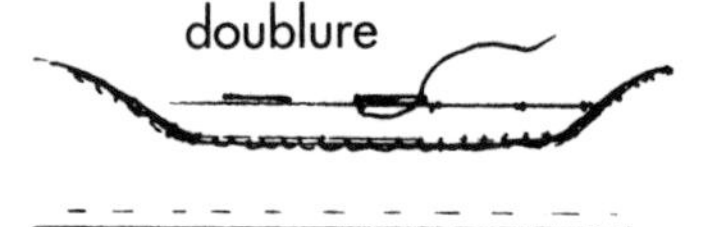


**POINTES** (OU COINS)

- Pour avoir de belles pointes à un col, le secret est de le presser avant de le retourner (aplatir les points en pressant à plat).
- Enfilez sur la pointe de la planche effilée; ouvrez les coutures avec la pointe du fer.
- Rognez les bords en les dégradant et coupez le coin en diagonale.
- Retournez sur l'endroit, en sortant bien la pointe avec les doigts ou avec un accessoire pointu en plastique.
- Pressez sur l'envers.

### *Pointe de poitrine*

Ce nom indique l'endroit où la poitrine est la plus forte. Les pinces de poitrine vont dans sa direction, mais s'arrêtent un peu avant.

## PORTE-CANETTE

Accessoire de la machine à coudre qui reçoit la canette où est enroulé le fil du dessous (synonyme de navette).

### *Soins et vérifications*

Utilisez une loupe pour vérifier si la pointe du porte-canette a été endommagée par une aiguille tordue ou épointée. Pour réparer les dégâts, passez avec beaucoup de précaution une lanière de toile d'émeri très fine sous la pointe endommagée. Enlevez le dépôt métallique. Le frottement doit se faire dans le sens de la longueur jusqu'à ce que la pointe soit restaurée. Répétez avec du *crocus cloth,* la plus fine toile d'émeri. Travaillez délicatement.

- Si la pointe est trop endommagée, les points seront irréguliers ou sautés, dans ce cas, remplacez la pointe.
- Si possible, enlevez ces pièces de votre machine pour faire la réparation. Enlevez tous les grains de la toile d'émeri et lubrifiez avec une huile légère. Vérifiez en même temps la plaque à aiguille; passez la corde d'émeri dans le trou où passe l'aiguille et faites un mouvement de va-et-vient.

## PRÉPARATION DU TISSU

Après avoir décati le tissu, pressez-le pour enlever les faux plis. La pliure centrale étant souvent difficile à effacer, évitez-la lors du taillage. Voir *Tissu.*

*Préparation à la couture*
Voir *Enfilage*

*Prépiqûre ou piqûre de maintien*

C'est une piqûre à grands points (4 mm) qui sert à maintenir ensemble col et encolure, manche et emmanchure, corsage et jupe, pour l'essayage du vêtement pendant la confection. Voir *Tissu.*

## **PRESSAGE** (VOIR *REPASSAGE*)

Le pressage consiste à poser doucement, mais fermement, le fer sur la partie à presser, puis à le soulever pour le reposer sur la partie adjacente. Ce travail s'effectue principalement avec la pointe du fer à repasser, une petite partie du tissu à la fois. Travaillez délicatement afin de ne pas étirer le tissu ni en marquer la surface.

- Il existe un sens pour tailler et coudre le tissu, il faut donc aussi presser dans le sens du droit fil.
- Lorsqu'on coud un tissu, on le presse, lorsqu'on lave un vêtement, on le repasse.
- Prenez garde de ne pas étirer les parties incurvées.
- Faites toujours un essai de pressage sur un échantillon du tissu, il est très difficile de prévoir ce qui se produira à la chaleur. Prenez un échantillon assez grand, joignez deux morceaux par une couture et faites une pince que vous presserez. Vérifiez ainsi la pression et le degré d'humidification requis.

## *Éléments du pressage*

- Une chaleur excessive risque de détériorer les tissus, de les faire fondre, de les durcir ou d'en altérer la couleur.
- La pression doit être légère pour la plupart des tissus, sauf pour les lainages très fermes qui nécessitent l'utilisation d'un battoir de tailleur. Le velours devra être pressé à la vapeur, car un pressage trop accentué peut être désastreux.
- Évitez le pressage sur fils de bâti ou sur les épingles, car cela risque de marquer le tissu.
- Humidité: La plupart des tissus nécessitent une certaine humidité pour être pressés; la vapeur aide à former les tissus, à réduire l'embu et à diminuer les défauts qui déparent souvent les vêtements faits à la maison. Parfois un fer à vapeur suffit, mais certains tissus nécessitent un humectage supplémentaire au jet du fer, ou encore avec une pattemouille humide ou une éponge. Cependant, un humectage excessif risque de tacher le tissu, d'en altérer la texture, de le lustrer ou de l'aplatir.

## *Matériel requis pour le pressage*

Achetez pour commencer les pièces de base, vous ajouterez les accessoires spécialisés par la suite; au besoin, vous pouvez en fabriquer quelques-uns à la maison.
Un fer à sec ou à vapeur, une planche à repasser, une jeannette, une planche à effiler, une planche tailleur, une planche à velours, un battoir de tailleur, un coussin de tailleur, une moufle de pressage, un rouleau passe-carreau, une pattemouille, une éponge, une bande de papier d'emballage, une brosse à vêtements.

### *Pressage final d'un vêtement après confection*

Un coup de fer sur l'endroit est nécessaire à une bonne finition. Il sera plus simple, si on a pris soin de presser chaque couture au montage. Utilisez une pattemouille pour effacer les faux plis. Si vous avez un mannequin, placez le vêtement dessus, cela simplifiera le travail.

## PROPORTION

C'est le rapport de grandeur ou de volume entre deux parties d'un même vêtement ou de deux vêtements, ou encore d'un vêtement et de la personne à habiller. Ce rapport peut être harmonieux, disparate ou même ridicule (sans grâce), selon l'écart qu'il y a entre les éléments comparés les uns aux autres et selon l'apparence de l'ensemble.

## QUEUE

Petite tige en fil que l'on forme sous le bouton, pour compenser l'épaisseur du vêtement et faciliter le boutonnage. Voir *Pose de bouton à tige,* sous la rubrique *Boutons.*

## QUEUES-DE-RAT (LANGAGE POPULAIRE)

Les queues-de-rat sont des brides étroites qui servent de liens: elles permettent de fermer un vêtement ou servent de bretelles de fantaisie. Voir *Brides en tissu.*

## RABAT

### *Col rabattu*

Col replié sur lui-même, avec pied de col rapporté ou non. Il s'oppose au col plat, comme le col chemisier par exemple. Voir *Couture rabattue* et *piquée.*

### *Poche à rabat* (VOIR *POCHE*)

Pièce finie de formes variées, qui retombe librement sur la partie supérieure des poches. Le rabat peut être taillé à même (longue parementure) et être replié (l'ouverture sera au-dessus). Il peut aussi être séparé, posé au-dessus de la poche et replié.

### *Poignet à rabat droit* (VOIR *POIGNET*)

Il se fait en pliant le bord prolongé d'une manche.

### *Poignet à rabat en forme* (VOIR *POIGNET*)

Fait à part, il se fixe à la manche avec une parementure.

## RACCORDS

Dans le cas de tissus à motifs ou à sens, il faut prévoir un raccord de la largeur d'un motif. Il sera prudent d'ajouter 23 cm de plus que la mesure indiquée sur le patron; vous éviterez ainsi les ennuis causés par un manque de tissu.

## RACCOURCIR (VOIR *FOURCHE, PANTALON*)

Pour raccourcir une jupe à plis permanents, enlevez la ceinture de taille, coupez le surplus et remettez la ceinture en place. C'est impossible de le faire par le bas.

*Comment raccourcir le patron d'une robe*

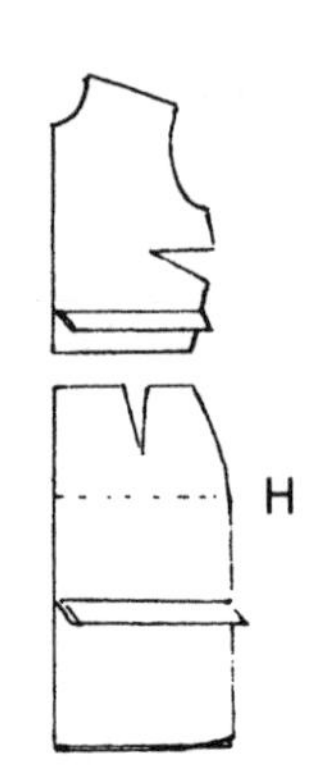


Pour raccourcir la longueur de taille, faites les plis nécessaires au-dessus de la taille; pour raccourcir la jupe, faites les plis en dessous des hanches à l'endroit indiqué sur le patron à la ligne de rectification.
Pour raccourcir une robe déjà finie et dont la taille est bien placée, refaites l'ourlet à la hauteur désirée. Coupez le surplus; l'ourlet ne doit pas être trop large.

## RAGLAN

Style de manteau mis à la mode par Lord Raglan vers 1855. Caractérisé par une manche qui remonte en diagonale jusqu'au col et par les poches en biais (garnies d'une patte) faites dans une incision du vêtement au niveau des hanches. Ces manches sont confortables et s'ajustent facilement aux caprices des différentes silhouettes. Les poches dans cet angle sont plus faciles d'accès et la main y glisse aisément.

## RALLONGEMENT

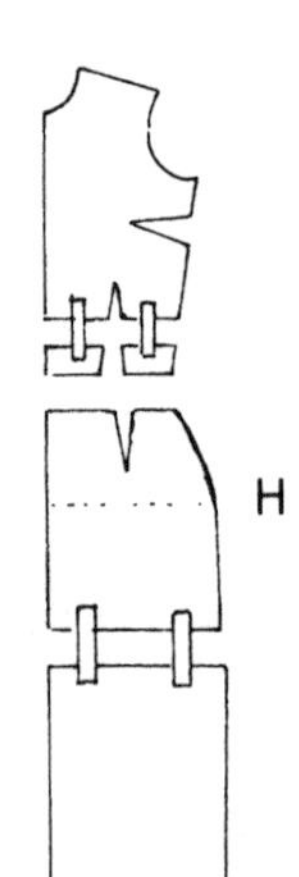


Pour rallonger un corsage à pinces, coupez le patron horizontalement et faites une rallonge avec papier et ruban adhésif. N'oubliez pas d'allonger aussi les pinces.
Pour rallonger une jupe à plis permanents, cousez une large bande de tricot à la taille.

## RANGEMENT

Lorsque vos outils et vos fournitures de couture seront bien rangés et regroupés dans un même lieu, la couture deviendra pour vous un vrai plaisir. Prévoyez un coin pour la machine, une table de travail, des compartiments pour les menus articles. Placez le nécessaire à repassage (table, fer, moufles, pattemouille...) derrière la porte d'un placard, ou sur des tablettes sur l'un des côtés de ce même placard. Une table de travail peut être une porte unie ou une pièce de contre-plaqué ou de stratifié que vous posez sur des modules de rangement et peinte à votre goût. Un coffret en bois avec anse à multiples compartiments est utile, car on peut le transporter facilement pour les menus travaux.

## RASAGE

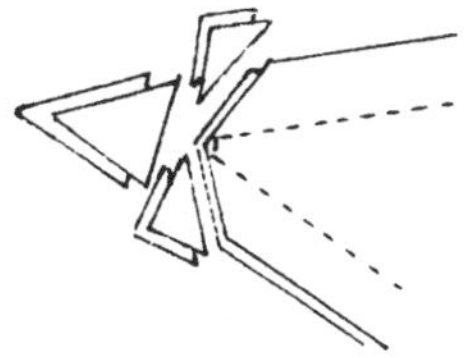

Il précède l'amincissage. Coupez les valeurs de couture de moitié avant d'amincir, par exemple pour l'emmanchure. Voir *Amincir.*
Rasez les coins des coutures en onglet. Rasez la pointe, réduisez de chaque côté. Plus la pointe est allongée, plus vous devrez réduire.

## RAYURES

Tracés linéaires sur étoffe, produits au tissage (très durables) ou imprimés (moins permanents). Contrairement à la croyance populaire, les rayures verticales élargissent la silhouette, alors que les mêmes placées horizontalement peuvent l'affiner à cause du mouvement de l'œil de l'observateur qui va d'une rayure à l'autre (de gauche à droite pour les verticales et de haut en bas pour les horizontales). La largeur des rayures doit être proportionnée à la silhouette.

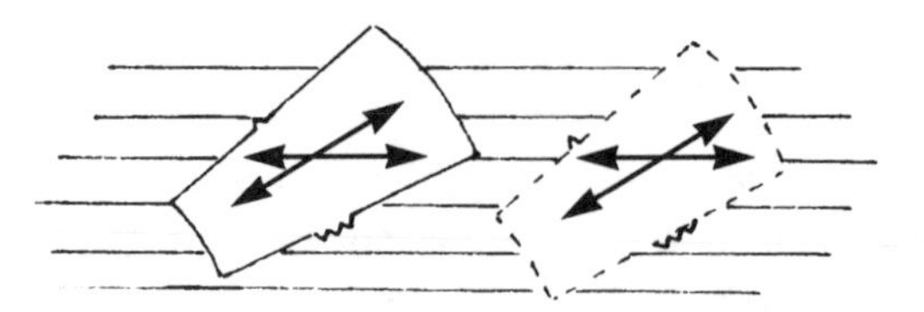

Nouveau droit fil pour rayures en diagonales

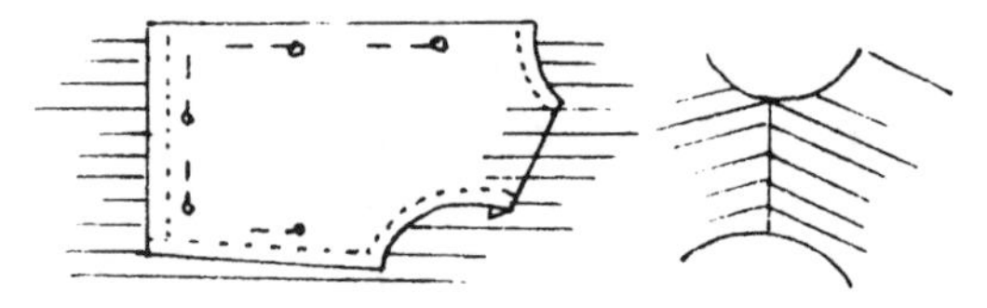

Pliez la valeur de couture pour marquer les repères, dépliez pour tailler

Ces tissus ne conviennent pas à tous les modèles, faites attention en choisissant le patron; évitez la ligne princesse et les longues pinces. Faites autant que possible coïncider les rayures (attention lors du taillage et de l'assemblage). Vous pouvez aussi tailler dans le biais pour obtenir un effet spécial. L'illustration indique comment marquer le nouveau droit fil et les repères.

## RECTIFICATION

Modification pour rendre adéquat. Voir *Ajustement, Essayage du patron, Essayage du vêtement.*

## RÈGLE

Une règle solide en bois de 3 pieds (1 verge ou 36 pouces) ou de 1 mètre (100 cm) pour mesurer le métrage d'un tissu.

### *Règle à curseur*

De 15 cm pour le travail de détail.

*Règle courbe*

Règle utilisée par les dessinateurs et qui permet de dessiner des courbes longues et douces de façon progressive (courbe de la hanche).

*Règle en L* (OU ÉQUERRE)

Pour obtenir des angles parfaits.

*Règle transparente*

Quadrillée pour des relevés exacts des deux côtés.

## RÉGULATEUR

*Régulateur de point* (RÈGLE-POINT)

Il permet de choisir la longueur du point.

*Régulateur de pression*

Il règle la pression ou la force descendante exercée par le pied presseur.

*Régulateur de tension*

Il règle la tension du fil de l'aiguille.

## REMBOURRAGE

La laine d'agneau peut servir à rembourrer la valeur de couture à la tête de manche. Taillez une bande de 7,5 cm sur 12,5 cm, repliez et fixez à points roulés pour lui donner un bel arrondi.
La bourre de polyester peut aussi être utilisée. On peut fabriquer des épaulettes à sa mesure avec cette fibre.
Le kapok (duvet végétal) peut servir à rembourrer des coussins.

## REMPLI

Ourlet ou pli fait à un vêtement pour le raccourcir. On fait également un rempli décoratif dans la jupe d'une robe d'enfant: il suffit de le défaire pour allonger le vêtement. On peut aussi le remplir dans l'ourlet, ce qui a l'avantage de ne pas se voir sur le dessus.

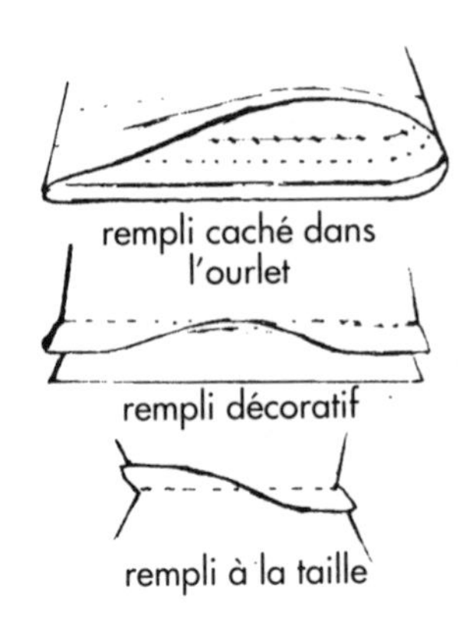


## RENFORT DE COUTURE

Pour empêcher les tricots (mailles) de s'étirer:

- Posez un bout de ruban à finition sur la ligne de couture et piquez ensemble en faisant la couture. Renforcez le plus souvent les coutures aux épaules et aux emmanchures.
- Vous pouvez aussi renforcer en cousant d'abord la couture d'épaule et en la pressant ouverte. Ensuite, fixez un ruban sur la couture et surjetez à la main de chaque côté.

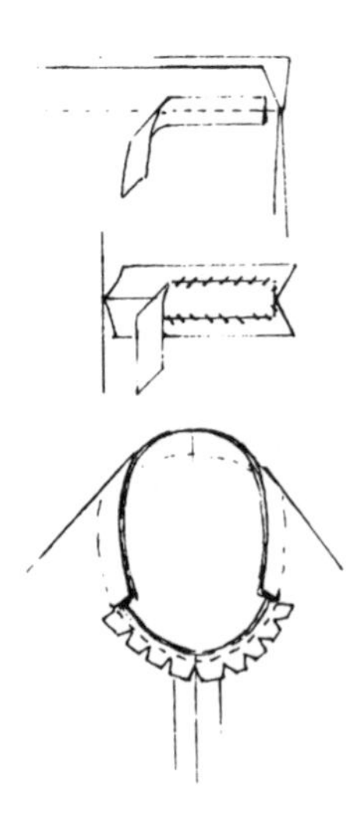

- Renfort de gousset (ou soufflet) de la manche kimono. Pour détail, voir *Kimono, Soufflet.*
- Renforcement de l'emmanchure. Fixez un ruban qui va de l'encoche avant (cran) à l'encoche arrière. Crantez le ruban pour une courbe impeccable. La couture d'emmanchure est rognée à 6 mm sous le bras pour un meilleur confort.

## RENTRER AU FER

Faire disparaître un embu au pressage. Voir *Embu.*

## REPASSAGE

Si vous désirez donner un cachet professionnel à vos vêtements, repassez avec une pattemouille toutes les coutures à mesure de leur exécution du début jusqu'à la fin, de la première pince à l'ourlet final. Voir *Pressage.* En effet, rien ne dénote davantage l'amateurisme qu'un mauvais repassage.

- Le repassage consiste à faire glisser le fer, à longs coups sur le tissu, pour le défroisser, généralement après un lavage.
- Épinglez et faufilez des vêtements plissés avant de les repasser, vous gagnerez du temps.
- Repassez le velours à l'envers contre un autre velours. Vous pouvez aussi le pendre sur un cintre au-dessus de la baignoire et faire couler l'eau chaude, la vapeur dégagée fera défroisser le velours.
- Soie: N'étendez pas la soie à l'extérieur pour la sécher, ce qui la ferait jaunir. Enveloppez le vêtement dans une serviette pendant 12 heures et repassez encore humide à l'envers.

- Pour humecter le linge avant de le repasser, déposez le linge dans la sécheuse à froid avec des serviettes humides (mouillées). Faites tourner la sécheuse jusqu'au degré d'humidité voulu.
- Les vêtements humidifiés à l'eau chaude seront plus vite prêts pour le repassage que s'ils l'avaient été à l'eau froide.
- Si vous avez roussi un vêtement de coton avec un fer trop chaud, faites disparaître la trace en frottant avec un tampon imbibé d'eau oxygénée.
- Les soies artificielles et les tissus infroissables doivent être repassés avec un fer pas trop chaud, sur une pattemouille un peu humide.
- Les tissus taillés sur le biais seront repassés en suivant le droit fil.
- Les tissus amidonnés se repasseront plus facilement si vous ajoutez une pincée de sel à l'amidon cuit ou cru.
- Ayez toujours à portée de la main un vaporisateur rempli d'eau, pour humecter les cotons et autres tissus qui nécessitent un repassage.
- Les tissus brodés doivent être repassés à l'envers sur une serviette de bain.
- Repassez toujours un ourlet avant de le coudre.

## REPÈRES

L'assemblage d'un patron est facilité si vous tracez des repères (marques, traits à la craie, fils de bâti, crans ou encoches...) que vous ferez correspondre sur les pièces du tissu. N'oubliez pas de les faire coïncider et de diversifier vos repères pour mieux vous y retrouver lors de l'assemblage. Voir *Coupe, Patron.*

**REPRISER** (RACCOMMODER)

Pour repriser un bas au talon ou au bout du gros orteil, vous pouvez enfiler une ampoule électrique (si vous n'avez pas de support en bois). Utilisez un fil qui se rapproche par sa nature, par sa couleur, par sa grosseur à celui du bas ainsi qu'une aiguille de la bonne taille, mais assez longue pour entrelacer plusieurs points à la fois.
Faites d'abord un point d'arrêt (jamais de nœud), des lancées dans un sens, et en revenant, glissez l'aiguille un brin dessus, un brin dessous et revenez en inversant: finissez avec un point d'arrêt.

- Évitez les épaisseurs en décalant les points pour ne pas faire une bordure épaisse autour de la reprise.
- Pour éviter que les fils de laine ne se désenfilent après les avoir passés dans le chas, piquez entre les brins, ce qui empêche les fils de glisser et ne nuit pas au travail.

**RESSOURCE**

Autre terme pour désigner une valeur de couture ou une marge: excédant qu'il faut prévoir pour les coutures.

**RETOUCHE**

Une retouche est une correction faite au vêtement ou au patron pour obtenir un meilleur ajustement.
Voir *Encolure, Épaules, Fourche, Pantalon.*

**RÉTRÉCIR**

Rétrécir c'est diminuer l'ampleur par une retouche à un vêtement. Le rétrécissement est aussi l'action que subit la laine (foulage) au lavage.

## REVERS

Partie d'un vêtement rapporté ou non que l'on retourne pour former un revers laissant voir la parementure sur l'endroit du vêtement: revers d'une manche, d'une jambe de pantalon, d'un col tailleur (voir *Cols*), d'une poche plaquée à revers...
Évitez de dire *cuff* ou «coffre», basque, *lapel* à la place de revers.
Le revers est cranté quand il forme un cran à la couture de jonction du col et du revers.

## ROBE

Vêtement féminin comprenant un corsage et une jupe, à même ou montée, avec ou sans manches, avec ou sans col. On en retrouve de tous les styles, selon qu'on la porte le jour ou le soir, en hiver ou en été, habillée ou tout aller, selon la mode du jour, son âge, son travail et ses moyens financiers. En voici quelques-unes:

### *Robe chasuble* (JUMPER)

Robe à encolure dégagée, sans manches, que l'on porte avec corsage ou tricot. Elle est très facile à réaliser pour une débutante. De ligne trapèze, elle sera encore plus polyvalente. Le même modèle en tissu différent servira de robe de maison, de robe de plage ou de robe de maternité.

### *Robe de base*

Elle est simple, bien coupée, elle accompagne bien le manteau de base. On peut porter la même robe du matin au soir. La petite robe de la secrétaire change d'allure pour le dîner ou le spectacle, simplement en changeant les accessoires.

### *Robe manteau*

C'est une vraie robe ouverte devant comme un manteau. On peut la fabriquer dans un tissu plus épais. Au cours des saisons, on peut s'en servir comme une robe ou comme un manteau.

### *Robe tailleur*

Vêtement que l'on porte comme une robe, mais qui ressemble à un tailleur. On se sert de tissu plus souple pour la confectionner et de la technique couturière plutôt que tailleur.

## ROGNER

Couper, enlever, diminuer les bords.

## ROULEAUTÉ (OU ROULOTTÉ)

Le rouleauté est un ourlet fait main pour les tissus délicats et très fins (sur un foulard de soie, par exemple). Il forme un petit bourrelet et le fil y est complètement caché.

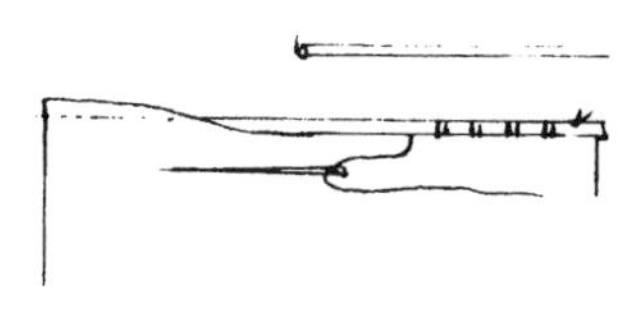

- Faites un pli de 3 mm au bord du tissu.
- Commencez par faire un nœud au début, piquez dans le haut du pli.
- Piquez un point invisible dans le tissu.

- Remontez vers le pli pour le point tunnel 5 mm plus loin.
- Faites trois ou quatre points et tirez pour former le rouleauté.
- Continuez par étapes.
- Ne pressez pas.

## ROULER UNE COUTURE

Technique qui consiste à pousser une couture pour qu'elle se retrouve sur l'envers et inégalement répartie sur les deux côtés du vêtement. Entre le parement et le revers (dans une encolure tailleur, par exemple) on roule la couture pour la cacher sur un bord ou sur l'autre au besoin.

## ROULETTE

Petite roue fixée à un manche et utilisée avec le carbone des couturières pour reporter le dessin du patron sur un tissu; il y a des roues crantées pour la plupart des tissus, et des roues unies pour les tricots. Je déconseille cette technique pour les vêtements de qualité, car le carbone peut parfois laisser des marques apparentes.

## RUBAN

Ornement de tissu plat et étroit servant de lien ou de parure.

### *Ruban adhésif*

Matière souple et flexible servant à coller.

*Ruban cordé* (GROS GRAIN)

Il peut servir d'entoilage pour une ceinture. (Lavez et repassez avant de vous en servir afin qu'il ne bouge plus.)

*Ruban croisé*

Ruban mince et résistant en coton ou en polyester pour renforcer les coutures.

*Ruban de biais*

Bande de tissu taillée en biais et qui s'étire pour couvrir des bords courbes ou droits.

*Ruban de droit fil*

Ruban de finition en rayonne, en polyester ou en dentelle de nylon, de 1 cm à 1,5 cm, cousu sur une couture pour enjoliver la finition de l'ourlet.

*Ruban métrique ou ruban à mesurer*
Voir *Galon à mesurer.*

**SAC ÉMERI**

Sac doublé d'abrasif dans lequel on pique les épingles et les aiguilles pour enlever la rouille.

## SENS

Le sens est la direction des fils dans un tissu tissé. Vérifiez le sens du tissu par le dessin de l'imprimé ou les quadrillés qui sont souvent différents dans les deux sens; vérifiez également le reflet à la lumière produit par la direction des poils (velours): dans un sens il est foncé et dans l'autre il est pâle. Choisissez le sens que vous aimez le mieux et taillez tous les morceaux dans la même direction. Il existe des tissus qui n'ont pas de sens défini parce qu'ils sont unis, par exemple le plastique, le feutre, le pellon...

- La chaîne donne la longueur (d'une extrémité de la pièce à l'autre).
- La trame donne la largeur (d'une lisière à l'autre).
- Voir *Tissus à sens.*

## SIMPLICITÉ

La simplicité est la qualité la plus importante de l'élégance et du bon goût. Un vêtement n'a pas besoin d'artifice pour produire de l'effet.

## SOIE

Fibre textile naturelle d'origine animale. C'est un filament brillant produit par la chenille (*Bombyx Mori*) et qu'elle utilise pour former le cocon entourant la chrysalide pendant sa métamorphose en papillon.

Une princesse chinoise est à l'origine de sa découverte, 2600 ans av. J.-C. Les Chinois conserveront le monopole de sa production durant 30 siècles.

- La soie naturelle est une fibre merveilleuse grâce à son fini brillant et à la sensation de douceur qu'elle produit sur la peau. Elle permet de fabriquer des tissus fins, légers et souples et d'un confort sans pareil; elle est fraîche en été et chaude en hiver. On en fait des tenues soignées et des sous-vêtements en tissus tels que le crêpe de Chine, le crêpe Georgette, le taffetas organza, le velours, le satin duchesse...

- La soie sauvage (*tussah silk*) est produite par d'autres chenilles qui se nourrissent différemment; elle est produite également par des fils cassés de cocons. Elle est moins brillante, plutôt mate et de diamètre irrégulier, généralement plus grossière et texturée, ce qui lui confère un charme différent.

- La soie peut être lavée à la main ou nettoyée à sec; lisez bien l'étiquette, car la teinture ou le fini employé peut nécessiter le nettoyage à sec seulement. Lavez la soie comme un lainage, à l'eau froide, avec du Zéro, sans frotter. Faites sécher la soie enroulée dans une serviette et mise au frigidaire pour un instant, puis repassez au fer moyennement chaud. Voir *Repassage*.

- La durée de vie de la soie est passable. Elle perd de sa force lorsqu'elle est mouillée, et de sa résistance si on l'expose aux rayons du soleil. Elle est sensible à la transpiration. La soie est assez coûteuse et elle tourne au jaune si elle est javellisée. On la blanchit à l'eau oxygénée.

- Mélangée avec d'autres fibres (laine acrylique, térylène, rayonne, nylon, etc.), la soie acquiert les propriétés de celles-ci, ce qui élargit l'éventail des produits.

- L'apprêt imperméable à base de silicone est couramment utilisé pour les foulards.
- Voir *Rouleauté.*

**SOUFFLET** (OU GOUSSET)

Petit morceau d'étoffe en forme de losange, que l'on pose dans une manche kimono ajustée pour faciliter le mouvement du bras. Il est parfois formé de deux pièces, la couture suivant la latérale du vêtement.

- Le soufflet est habituellement de la même couleur que le reste du vêtement, mais par fantaisie on peut l'harmoniser à un col contrastant.

*Pose du soufflet*

- Renforcez le point «A» avec un morceau d'organza (2,5 cm x 3,75 cm) sur le biais.

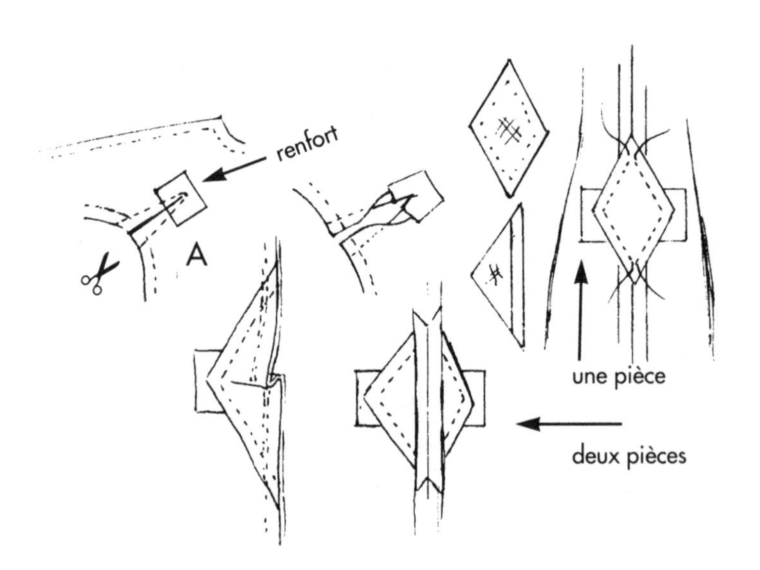

- Faites des points de soutien sur le pourtour de la fente (c'est-à-dire, des points plus petits près de la pointe et un point droit à l'extrémité).
- Fendez jusqu'à la pointe.
- Faites des points de grébiche très rapprochés, avec fil simple.
- Repassez à plat la partie renforcée.
- Taillez le soufflet en biais, plus 6 mm de valeur de couture.
- Posez le soufflet à points coulés, en commençant par une pointe.
- Cousez à la machine, tournez les pointes en gardant l'aiguille dans le tissu.
- Vous pouvez renforcer en surpiquant (optionnel).

### *Poche à soufflet*

Poche appliquée, ayant un supplément de tissu sur les trois côtés qui la retiennent au vêtement, et qui se déplient pour donner de l'expansion à la poche. On retrouve ce type de poche à soufflet dans une veste de chasseur, par exemple.

### *Poche à soufflet ou à pli*

Pour cette poche, l'effet de soufflet est produit par un pli creux ou rond au centre de la poche. Par exemple: poche à soufflet d'une saharienne.

## SOUPLESSE

- Aisance obtenue par un supplément de tissu et prévue sur les patrons pour faciliter les mouvements et donner un bon tombant aux vêtements.

- L'aisance est aussi la qualité de flexibilité, de légèreté et d'élasticité d'un tissu qui se moule et se drape facilement.

## SOUS-PIQÛRE

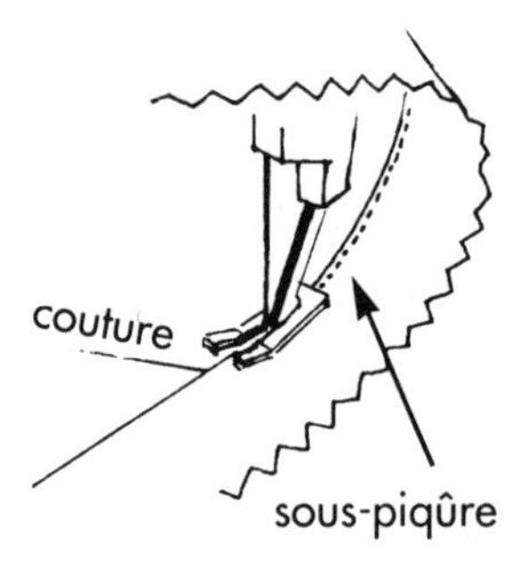


La parementure et sa ligne de couture paraîtront moins sur l'endroit si vous sous-piquez une couture. Ce travail se fait après que les coutures aient été rasées, amincies, entaillées et encochées. Sur l'endroit, piquez la parementure à la valeur de couture très près de la ligne d'assemblage. Pour les tissus délicats, faites ce travail à la main, au point arrière invisible.

## SOUTACHE

Tresse de galon appliquée sur diverses parties du costume d'allure militaire dans un but décoratif.

## SOUTIEN (LES TISSUS DE)

Les tissus de soutien servent à donner du corps à un vêtement afin de lui donner un fini professionnel au montage. Choisissez les plus appropriés et respectez l'ordre de leur pose dans un vêtement, soit la triplure, l'entoilage, l'entredoublure et enfin la doublure.

- La triplure: Elle donne du corps, consolide les coutures, rend le tissu opaque, arrête l'extension (où il y a tension), sert de tampon pour fixer les ourlets, la parementure, l'entoilage... On peut la fixer entièrement ou en partie sur le vêtement. La triplure peut être de soie de

Chine, d'organdi, de percale, de batiste ou de tricot léger pour les tricots.

- L'entoilage: Il s'emploie pour renforcer le vêtement et lui donner de la tenue. Il y a des entoilages tissés et d'autres non tissés, il y a également des entoilages thermocollants ou non. Il peut être de poids léger, moyen ou lourd, on le choisit en fonction du tissu. Il doit donner du corps sans écraser le tissu du vêtement et on l'utilise dans les cols, les parementures, les rabats, les ourlets à border les ouvertures et dans les vêtements tailleur.
- L'entredoublure: Elle est un tissu isolant intercalé entre la doublure et le tissu pour rendre un vêtement plus chaud (laine d'agneau, feutre, flanelle, molleton polyester).
- La doublure: Elle finit élégamment l'intérieur d'un vêtement, le rend aussi plus facile à enfiler et à retirer.

## SOUTIEN DE PIQÛRE

Le soutien de piqûre sert à soutenir ou à renforcer une couture par un faufil, une bande de tissu droit fil, pour l'empêcher de s'étendre, de s'étirer ou de se déformer avant que la couture soit faite.

## STYLE

Façon de s'habiller, manière d'être d'un vêtement inspirée de différents critères empruntés à une époque, à une école, à une mode, à une manière de vivre (travail, situation sociale, budget, âge, personnalité, caractère...).

*Pour avoir du style*

Le style est l'expression de la personnalité. C'est ce petit extra qui fait que vous ne ressemblez à aucune autre personne. Il consiste à savoir accepter les différences que l'on a pour les mettre en valeur et s'en faire une marque distinctive. Il faut savoir faire preuve d'observation et de modération, car le style est exigeant.
Souvent ce sont les accessoires qui peuvent devenir votre signe distinctif parce que vous en usez de façon continue. Le style ne s'achète pas, on le découvre en l'observant. Il peut amuser ou offusquer, mais il ne laisse personne indifférent: attention aux répercussions. L'image que vous projetez est votre carte de visite. Si elle ne correspond pas à votre réalité, les gens que vous rencontrerez seront déçus et ceux que vous aimeriez rejoindre vous ignoreront; il en est ainsi si une personne prude est habillée en vamp, jugez-en vous-même les conséquences. Le style est libre, il n'est pas comme le goût qui est une censure; il fait dire au corps ce que vous n'osez pas exprimer vous-même.

## SURBLOUSE

La surblouse doit être soit plus courte ou plus longue que la partie la plus forte des hanches.
Pour la surblouse, donnez 3,75 cm d'aisance de plus que la jupe à la même hauteur afin de lui permettre de bien tomber sans faux plis.

## SURFIL

Point oblique fait à la main pour border le tissu à 3 mm du bord afin de l'empêcher de s'effiler. Voir *Point machine, Zigzag (pour surfiler en)*.

## SURPIQÛRE

Piqûre décorative faite à la main ou à la machine et exécutée sur le côté apparent d'un vêtement. Elle est souvent faite en fil contrastant ou d'un diamètre plus fort et plus lustré que le fil qui sert à assembler le vêtement.

## SYMBOLES

(SERVICE DE *INTERNATIONAL LADIES GARMENT WORKERS' UNION*)

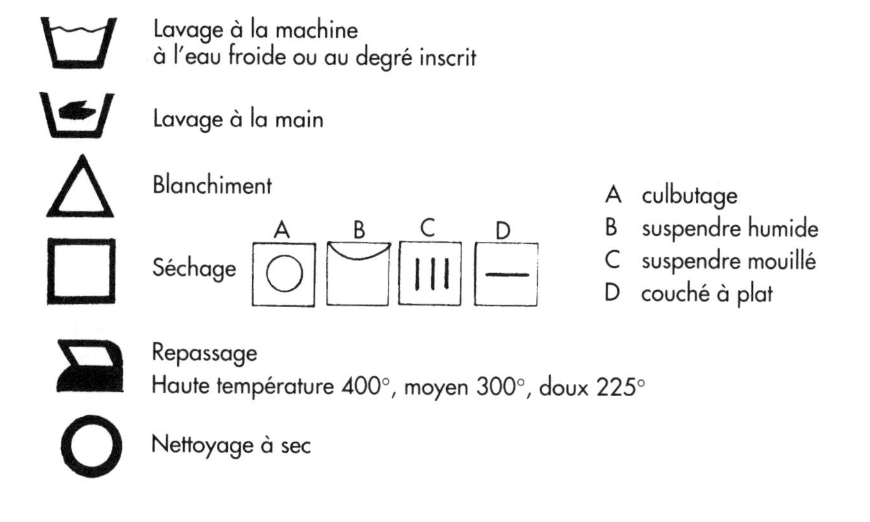


La majorité des fabricants canadiens utilisent des symboles universels sur les étiquettes de leurs produits afin d'en faciliter l'entretien; ces symboles ressemblent aux couleurs des feux de circulation.

- En rouge avec un x: à éviter
- En jaune: à utiliser avec prudence
- En vert: correct

## SYSTÈME MÉTRIQUE
(MESURES MÉTRIQUES ET MESURES ANGLAISES)

### *Équivalence*

| | |
|---|---|
| 1 mètre = 1,094 verge (3pi 3 3/8 po) | 1 verge = 0,914 mètre |
| 2 mètres = 2,187 verges | 2 verges = 1,829 mètre |
| 3 mètres = 3,281 verges | 3 verges = 2,743 mètres |
| 4 mètres = 4,374 verges | 4 verges = 3,658 mètres |
| 5 mètres = 5,468 verges | 5 verges = 4,527 mètres |

100 cm = 1 mètre • 12 pouces = 1 pied • 3 pieds = 1 verge

| | |
|---|---|
| 1 pied = 30,5 cm | 1/8 pouce = 3 mm |
| 2 pieds = 61,0 cm | 1/4 pouce = 6 mm |
| 3 pieds = 91,4 cm | 5/8 pouce = 1,5 cm |
| | 1/2 pouce = 1,25 cm |
| | 1 pouce = 2,5 cm |
| | 2 pouces = 5,1 cm + 1 mm |

- Voir l'équivalence sur un ruban métrique affichant les deux mesures.

## TABLE DE COUPE

La table doit être rectangulaire, bien solide avec de l'espace pour circuler autour. Elle doit être bien d'équerre et être assez grande pour y épingler le plus de morceaux à la fois.

## TABLE DE TRAVAIL

Elle ne doit pas être trop basse (maux de dos) ni trop haute (épaules et bras fatigués). Travaillez toujours sur une table, jamais sur vos genoux. Elle doit être stable, de dimension adéquate. Le siège doit être muni d'un dossier. L'éclairage doit être suffisant, sans être éblouissant.

## TABLIER

Faites le tablier en bon coton solide. La courroie ou cordonnet passe dans une coulisse, ce qui permet d'ajuster la hauteur du tour du cou à volonté. Facile à confectionner, unisexe, c'est une bonne suggestion de cadeaux.

### *Étapes de confection*

Ourlet replié, coulisse (biais mis en forme au fer), poche plaquée non doublée, surpiquage.

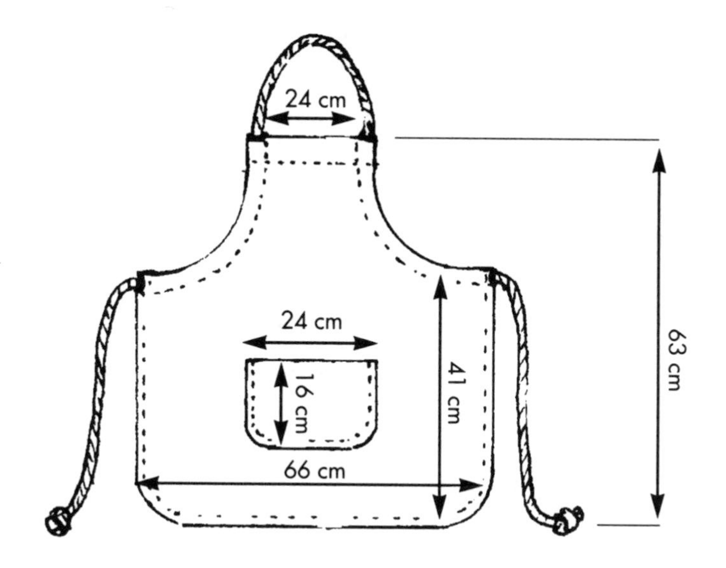


## TAFFETAS

### *Taffetas à doublure*

Le taffetas rayonne qui sert à doubler un vêtement est épongé avec un fer à vapeur, il ne bougera plus au lavage ni au nettoyage à sec.

### *Taffetas à robe*

Tissu à armure simple, luxueux et lustré. Manipulez le taffetas le moins possible, car il se tache et se froisse facilement. De plus l'aiguille laisse sa marque si l'on doit défaire une couture. C'est un tissu assez rigide qui tache à l'eau (servez-vous d'un fer sec et tiède avec pattemouille sèche), ne pas aplatir les bords. Enfin, la planche devra être bien coussinée. Le nettoyage à sec est recommandé pour ce tissu.

## **TAILLAGE** (VOIR *COUPE*)

Voici quelques conseils avant de tailler les tissus synthétiques extensibles et les tricots.

- Les tissus synthétiques sont trempés dans de l'eau avant de les tailler, un lavage enlève l'excédent de produits chimiques. (Remarque: Lavez en même temps le ruban à finir et la fermeture éclair pour les empêcher de rétrécir.)
- Le patron ne sera pas de la même grandeur pour un tricot que pour un tissu, car le tissu requiert plus d'ampleur.
- Suspendez le tissu un jour ou deux pour le détendre le plus possible avant de tailler à vos mesures.
- Placez le tissu bien à plat sur une table en épinglant dans la marge de couture puis taillez.
- Placez une épaisseur de papier de soie pour travailler la soie ou tout autre tricot délicat; vous éviterez ainsi tout glissement.
- Utilisez une paire de ciseaux conçue spécialement pour les tissus extensibles; ils sont d'un usage simple et ne dérapent pas.
- Pour tailler correctement un tissu léger, plongez vos ciseaux dans de l'eau bouillante, essuyez et taillez car l'acier chaud coupe beaucoup mieux.

## TAILLE

- Partie la plus fine du corps entre les côtes et les hanches. Avoir une taille de guêpe, c'est avoir une taille très fine. Voir *Ligne de taille, Mesures.*
- Dimension standard d'un vêtement. Voici comment choisir la taille d'un patron commercial: Prenez vos mesures (pas trop serrées) et comparez-les aux mesures normalisées (standard) données dans le catalogue. Les mesures ne sont pas les mêmes selon qu'elles sont classées dans un groupe ou dans un autre; classez vos mesures dans une des catégories suivantes: jeune femme, petite jeune femme, jeune fille, petite jeune fille, fille, femme, jeune adolescente ou demi-taille. De plus, ces mesures peuvent aussi être légèrement différentes d'une compagnie à une autre.
- Achetez les patrons de manteaux et de costumes de la même taille que les patrons de robes.
- Partie ajustée du vêtement qui marque la taille de la personne. Il y a des robes à taille haute (Empire), à taille basse (pour les petites ou les grandes hanches), à la taille (pour une taille normale) et des robes sans taille marquée (droite, ample).
- Vérifiez la taille à l'ajustement, il est parfois nécessaire de hausser ou de baisser la taille selon la tombée du tissu.
- La taille doit être ajustée sans être trop serrée.

### *Pour élargir une robe à la taille* (PATRON)

Élargissez le corsage et la jupe aux mêmes dimensions en conservant la même emmanchure et le bon tour de hanches. Pour diminuer le corsage et la jupe à la hauteur de taille quand le tout est assemblé, épinglez à l'essayage puis cousez en finissant à rien dans le corsage et dans la jupe. Diminuez également au dos et sur le devant pour garder la couture latérale à la bonne place.

- Pour diminuer l'épaisseur d'une bande de taille (dans une jupe en lainage, par exemple), utilisez un gros grain (ruban cordé) de couleur et de largeur désirées; le gros grain offre l'avantage d'empêcher les irritations que la laine pourrait causer et de plus, il n'est pas nécessaire d'avoir recours à un entoilage supplémentaire. Faites attention à ce que le gros grain ne dépasse pas sur le dessus, faites une sous-piqûre. Voir *Sous-piqûre.*

## TAILLEUR

Le tailleur ou costume est une tenue de ville féminine et dont l'équivalent pour l'homme est le complet traditionnel. Il est composé d'une veste doublée à manches longues et d'une jupe. On le porte avec une blouse ou un chemisier assorti. Le terme tailleur-pantalon est utilisé lorsqu'on porte une jaquette avec un pantalon. Le tailleur est choisi assorti au manteau que l'on peut enfiler par-dessus. (Par exemple: manteau brun, tailleur chiné ou tweed beige et brun, blouse blanc cassé.)

### *La façon tailleur*

C'est de la couture raffinée, qui accorde plus d'importance aux détails (tissu de qualité, entoilage, doublure, ajustage, essayage, repassage...). Elle exige plus de patience, car chaque étape est importante. C'est une couture qui n'est pas difficile, mais plus longue à réaliser. Il faut baguer l'entoilage au revers et au col, à points de chevron, en l'arrondissant sur la main. Posez un galon au point de chausson (le galon doit être décati) pour assujettir les bords et la ligne de la pliure. Le roulage des coutures et l'usage de la vapeur vous aideront à donner la forme voulue. La doublure est obligatoire.

- Pour une bonne tombée du vêtement tailleur on peut y ajouter des poids. Voir *Poids*.

## TENSION

Vérifiez la tension du fil en faisant quelques points sur un échantillon de tissu avec lequel vous ferez votre vêtement.

- Utilisez des fils de couleurs différentes pour le dessus et le dessous. Si une seule couleur est apparente sur chaque côté, la tension est régulière sinon, ajustez la tension qui fait défaut.
- Débutez par la tension inférieure et n'ajustez la tension supérieure qu'en cas d'échec seulement.
- L'ajustement de la tension doit se faire graduellement, reprenez l'opération si nécessaire.
- Assortissez la tension et la grosseur du fil (un gros fil, pour une forte tension et un fil fin, pour une faible tension).

## TEST DE LA FLAMME

Le test de la flamme est pratiqué sur des échantillons afin de connaître la vraie nature du tissu lorsqu'elle n'est pas indiquée sur l'étiquette, ou encore lorsqu'il y a un doute.

### *Acrilan*

Brûle en dégageant une flamme plus rapide que la laine, émet une odeur aromatique et laisse très peu de cendre.

*Amiante* (FIBRE MINÉRALE)

Ne brûle pas, ne dégage aucune odeur, laisse des fibres légèrement noircies.

*Coton* (FIBRE NATURELLE VÉGÉTALE)

Brûle rapidement avec une flamme très apparente, laissant paraître la structure du tissu. Celui-ci devient pâle et tombe en fine poussière si on le touche. Il laisse une odeur de papier brûlé et peu de cendre.

*Dracon* (FIBRE SYNTHÉTIQUE), *Tergal, Terylène*

Fond rapidement, laisse une boule moins dure que le nylon et répand une odeur légèrement aromatique.

*Fibre de verre* (FIBRE SYNTHÉTIQUE MINÉRALE)

Ne brûle pas mais n'émet aucune odeur.

*Laine* (FIBRE ANIMALE)

Brûle lentement mais arrête de brûler quand la flamme est enlevée, sent la corne ou les cheveux brûlés, laisse une cendre noire facile à pulvériser.

*Lin* (FIBRE NATURELLE VÉGÉTALE)

Brûle rapidement mais pas aussi vite que le coton, laisse une odeur de papier brûlé et une cendre grise légère.

*Nylon* (FIBRE SYNTHÉTIQUE)

Brûle rapidement et semble fondre, dégage une odeur de céleri, laisse des boules noires, rondes et dures.

*Orlon* (FIBRE SYNTHÉTIQUE)

Brûle et fond plus rapidement que la laine, laisse une faible odeur aromatique et très peu de cendre dure.

*Polyester* (FIBRE SYNTHÉTIQUE)

Brûle en faisant une faible flamme fuligineuse, il fond en laissant des poils durs et légèrement aromatiques.

*Rayonne-acétate*
(MÉLANGE DE FIBRES NATURELLES ET SYNTHÉTIQUES)

Produit une flamme brillante, plus rapide que la viscose, répand une odeur âcre et laisse une boule très dure.

*Rayonne-viscose*
(MÉLANGE DE FIBRES NATURELLES ET SYNTHÉTIQUES)

Produit une flamme rapide, brillante, continue, et laisse une odeur de papier brûlé et peu de cendre grise.

*Soie* (FIBRE ANIMALE)

Brûle en grésillant, arrête de brûler quand la flamme est enlevée, dégage une odeur de corne brûlée ou de poil roussi et laisse une boule brune boursouflée, friable.

*Viscose* (CELLULOSE RÉGÉNÉRÉE)

Brûle rapidement, laisse un peu de cendre et une odeur de papier brûlé.

## TEXTURE

La texture est le mode d'entrecroisement des fils d'un tissu, son aspect extérieur. La texture du tissu influence la couleur. Selon son degré de réflexion à la lumière, elle paraît plus ou moins foncée.

- Une étoffe mate amincit et une étoffe luisante donne l'effet contraire. Il faut savoir accorder la texture à la silhouette et au style du vêtement.
- Un tissu chatoyant convient bien à une robe du soir et un tissu cloqué ou peluché crée une impression de volume. Si vous êtes de petite taille, un tissu trop épais n'est pas recommandé.
- Un tissu pas trop rigide et pas trop moulant convient à la plupart des silhouettes.

## THÉ

On applique un peu de thé avec un tampon ou une éponge pour raviver un tissu foncé qui a pâli.

## THERMOCOLLANT

Étoffe non tissée très légère, ou tissu à envers adhésif, servant de triplure, qui colle au vêtement sous l'effet de la chaleur, de l'humidité et de la pression; repassez au fer sec ou à vapeur selon la toile utilisée. Ce thermocollant se vend au mètre. D'autres

tissus servent d'appliqués et sont préfinis, comme le velours côtelé pour rapiécer un pantalon d'enfant.
Il existe des liants (semblables à une toile d'araignée) qui, fondus entre deux tissus, les unissent; ils sont très utiles pour les ourlets rapides sans couture). N'utilisez pas ces tissus sur les voiles et les fibres synthétiques et suivez les instructions du manufacturier pour obtenir de meilleurs résultats. Voir *Liant, Ourlet, Triplure.*

## **TISSU** (ÉTOFFE)

Nom générique pour désigner un assemblage régulier de fils textiles. Ne jamais utiliser le terme «matériel» dans le sens de tissu. Ce sont les:

- étoffes entrelacées (multilignes): dentelles, tulle...;
- étoffes tissées (rectilignes): à armure simple ou composée;
  simple: toile, sergée, satin;
  composée: jacquard, à fils relevés ou à double tissage;
- étoffes maillées (curvilignes): tricots, jerseys...
- étoffes non tissées: feutre, pellon...

### *Achat du tissu*

Il est souvent intéressant de céder à la tentation d'un beau tissu en solde et de laisser vagabonder son imagination pour en trouver le meilleur usage. C'est un peu comme l'histoire de l'œuf et de la poule: on ne sait pas si le tissu suggère le vêtement ou si le vêtement suggère le tissu.
Il faut que le tissu convienne bien au modèle choisi: par sa texture, son poids, sa tombée, sa ou ses fibres composantes, ses apprêts, son coût, son entretien, sa résistance...

- Les tissus trop souples sont difficiles à travailler. Choisissez ceux qui ont une bonne tenue. Plus les tissus sont tissés serrés, meilleure est leur qualité.
- Surveillez les soldes de fin de saison, les fins de séries, les coupons pour réaliser des économies intéressantes.
- Pour déterminer le métrage nécessaire, référez-vous à la pochette du patron ou au catalogue du magasin. Voir *Largeur, Longueur, Mesures, Métrage.*
- Rappelez-vous que les tissus les plus dispendieux ne sont pas nécessairement les plus robustes.
- Pour harmoniser votre garde-robe, amenez avec vous vos échantillons de couleurs. Voir *Échantillon.*
- Examinez toujours le tissu à la lumière du jour.
- Demandez à voir le tissu déroulé pour examiner s'il y a des imperfections de couleur, de tissage, de taches, de droit fil...
- Vérifiez la nature des fibres et le pourcentage des diverses composantes sur la notice d'entretien (symboles), sur les étiquettes et sur la provenance.
- Achetez suffisamment de tissu pour faire correspondre les motifs s'il s'agit d'un imprimé.
- Prévoyez le rétrécissement de 5 à 10 % pour certains tissus naturels.
- Il est préférable d'acheter davantage de tissu plutôt que d'en manquer. Achetez aussi les autres fournitures nécessaires en même temps que votre tissu.

*Tissus à sens*

- Ces tissus sont capricieux et nécessitent une attention toute particulière.

- Toutes les pièces doivent être disposées dans la même direction.
- Parmi ces tissus on note les peluchés, les grattés, les velours, le satin, les écossais unidirectionnels, les imprimés dont les motifs sont à sens unique...
- Le pelucheux est doux si le sens va vers le bas et rude à rebrousse-poil.
- Les velours côtelés se taillent poils vers le haut pour accentuer la couleur ou vers le bas pour l'atténuer.
- Les longs poils s'usent moins vite s'ils sont dirigés vers le bas.
- Les imprimés unidirectionnels sont taillés selon votre goût ou la logique.
- Évitez les patrons où il est mentionné qu'ils ne conviennent pas aux tissus écossais, aux rayures, au style princesse et aux longues pinces obliques.
- Déterminez si votre tissu écossais est régulier ou irrégulier en pliant un coin de la pièce en diagonale; si les lignes se continuent, il est régulier, sinon il est irrégulier. Le tissu est alors plus difficile à tailler et vous serez limitée dans le choix des modèles. Taillez le tissu non plié; la coupe sera plus précise, mais demandera plus de temps. Raccordez les rayures des deux sens et taillez le deuxième morceau en plaçant le premier sur le deuxième, face contre face. Épinglez tous les 5 cm environ pour raccorder les carreaux.

### *Tissus plastifiés à base de polyvinyle et tissus caoutchoutés*

Coulés ou enduits sur base de coton ou non.

- Cousez ces tissus sans qu'ils ne collent au pied-de-biche de la machine, en glissant un papier de soie entre le métal et le tissu. Le papier s'enlève facilement une fois la couture terminée.

- On peut aussi saupoudrer du talc sur le plastique, ce qui l'empêche de coller.

*Les tissus légers difficiles à coudre*
(CHIFFON, JERSEY, DENTELLES...)

Comme précédemment, on peut se servir de papier de soie sur ces tissus pour les empêcher de s'étirer.

## TOILE

Tissu à armure simple, de coton, de lin ou d'autres fibres de poids variés. La toile peut servir à de multiples usages selon sa texture.
Prototype d'un vêtement réalisé dans une étoffe de coton bon marché (coton jaune) permettant une mise au point parfaite d'un modèle.
Voir *Coton, Lin,* sous la rubrique *Tissu.*

*Toile de laine*

La toile de laine existe en différentes épaisseurs et couleurs pour convenir au tissu auquel elle servira d'entoilage. (Épongez au préalable.)

## TRAME

Fils opposés à la chaîne, dans le sens horizontal d'un tissu, d'une lisière à l'autre. C'est la largeur du tissu. Voir *Droit fil.*

## TRIANGLE DE RENFORT OU D'ARRÊT

Il sert à renforcer un coin ou une fente.

*Brodé*

- Tracez le triangle sur l'endroit du tissu, à la craie ou au fil. Faites deux petits points devant pour bloquer le fil dans un coin, sortez l'aiguille sur le sommet du triangle. Piquez l'aiguille au troisième coin en ressortant à côté du point de départ. Recommencez en vous guidant d'après le tracé et en accolant les fils jusqu'à ce que le triangle soit recouvert.

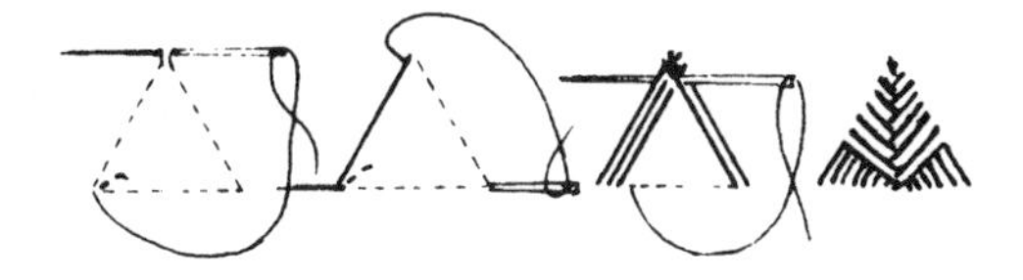

*En tissu*

Pièce triangulaire faite en tissu ou en cuir surpiqué.

## TRICOT

Technique de fabrication d'une étoffe constituée d'une succession de mailles reliées les unes aux autres. Voir *Mailles.*

*Tricots faits à la main*

- À deux aiguilles pointues pour confectionner des tricots droits tels que les chandails, les foulards...
- À quatre aiguilles pour faire de petits tricots circulaires tels que les bas, les gants, les tuques...

- À aiguille circulaire pour tricoter les jupes, avec des mailles endroit (jersey), envers (mousse ou perlée)...
- Au crochet (tige à la pointe recourbée), avec des mailles coulées, serrées, demi-bride, bride (jetée), double bride (2 jetées).

### *Tricots faits à la machine*

Tricot trame (à un fil) exécuté sur métier circulaire, simple à une aiguille (jersey, côte, tricot velours...) et double à deux aiguilles (tricot double, interlock, côte anglaise, perlée), et de fantaisie (jacquard). Il se vend sous forme de tube.
Tricot chaîne à plusieurs fils exécuté sur métier horizontal, les bords sont finis. Le tricot simple est à côte verticale sur l'endroit et à côte horizontale sur l'envers. Lorsque le bord du tricot est étiré, il s'enroule vers l'endroit.

- Pour doubler les tricots, utilisez un autre tricot léger ou un tissu taillé en biais, afin de garder la souplesse du vêtement.
- Le tricot simple a tendance à rouler, vaporisez avec de l'empois en aérosol et pressez les bordures avant de les coudre, elles resteront plates et l'empois disparaîtra au lavage.
- Les jerseys fins risquent de se déformer à l'usage et de faire des trous dans les coutures.

## TRIPLURE

Tissu de renfort qui sert à épouser la forme des différentes parties d'un vêtement. La triplure est cousue à même le tissu comme s'il ne s'agissait que d'une seule épaisseur. Elle soutient, renforce et rend plus rigide les parties triplées qui deviennent aussi plus opaques. La triplure s'applique avant l'entoilage. Voir *Doublure, Thermocollant*.

## TROMPE-L'ŒIL

On appelle ainsi une illusion de la réalité, en copiant les objets et en leur donnant l'illusion de la troisième dimension. On utilise le trompe-l'œil dans la décoration de vêtements, comme les faux colliers imprimés sur un vêtement ou les fausses poches...

## TWEED

Tissu de laine cardée, pure mais parfois mélangée, ayant une armure de toile ou sergée et fait de deux ou plusieurs couleurs. La laine provient d'Irlande, le pays d'origine de ce tissu. On en fait des paletots et des vêtements sport.
Le Harris tweed contient des fibres mortes (plus rigides) le fil est grossier et irrégulier et ressemble au tissé main.
Le tweed Donegal est aussi un fil grossier et irrégulier, mais on y ajoute des mottes de couleur pendant le filage, afin de rendre le tissu plus attrayant.

## UNI

Étoffe d'une seule couleur.

## UNIFORME

Vêtement de coupe et de couleur réglementaires porté par des groupes spécifiques, comme les habits militaires.

## UNISEXE

Vêtement qui convient aussi bien aux hommes qu'aux femmes.

## UNITÉ

Rappel d'un même élément de décoration dans un vêtement, lequel crée une harmonie dont les diverses parties forment un tout.

## USURE

Les vêtements d'enfants s'usent aux genoux. On peut poser des pièces de renfort décoratives.
Un vêtement qu'on rallonge laisse une ligne d'usure qu'on peut camoufler avec un biais décoratif.

## VALEUR DE COUTURE (VOIR *MARGE, RESSOURCE*)

La valeur de couture est le surplus de tissu qui dépasse de la couture lors de l'assemblage. C'est une marge de sécurité pour empêcher les coutures de lâcher.

- Dans les patrons de commerce, toutes les marges sont de 1,5 cm.
- En haute couture, on laisse une marge de 1 cm à l'encolure, de 1,5 cm aux emmanchures et aux manches, de 2 cm aux coutures latérales et de 5 cm à l'ourlet.
- Dans certains tissus qui s'effilochent, laissez davantage de marge par mesure de sécurité.
- En général, on marque les valeurs de couture avec précision à l'aide d'une craie de tailleur. Il sera ainsi plus facile de piquer vos coutures d'assemblage et de suivre les guides de votre machine.

## VELCRO

Ruban de nylon auto-adhésif composé de deux bandes dont l'une est munie de petits crochets et dont l'autre ressemble au velours. Si vous pressez ces deux bandes l'une contre l'autre, les surfaces adhéreront parfaitement. Elles se détachent si on tire d'un coup sec, produisant en même temps un petit bruit caractéristique. Le velcro se coud, se pose au fer ou se colle.
Quand on le pose dans une fente croisée, il exige une valeur de couture plus large que la normale. Le ruban à crochets se place sur le dessus.
Il peut être décoratif, très pratique pour certains usages et moins pour d'autres.
Pour ma part, je déconseille d'utiliser le velcro à la taille, car en s'asseyant, la pression le fait se dégrafer; ceci est parfois gênant parce que le bruit attire l'attention.

## VELOURS

Étoffe à fils relevés et rasés maintenus par la structure de base du tissu. C'est un tissu peluché très élégant, assez fragile.

- Il est préférable de doubler le velours; il tombe mieux et résiste davantage aux faux plis de cette façon.
- Le velours ne peut être cousu qu'une fois parce que les points enlevés trouent le tissu. Cousez le velours avec une aiguille fine dans le sens du poil.
- La plupart des velours peuvent retrouver leur beauté d'origine, avec un peu de vapeur. (Suspendez-le dans la salle de bain.)
- Traitez les dessous des emmanchures au Scotchguard pour éviter les taches causées par la transpiration.
- Pour un vêtement de velours, des parements en coton satiné de la même couleur sont indiqués.

- Mettez une doublure séparée dans une robe de velours.
- Cousez avec un pied simple à fermeture éclair pour ne pas le taper.
- Le velours se porte de la mi-septembre à la fin du mois de mars.
- Avant d'acheter du velours, regardez l'envers et vérifiez si le tissage est bien serré et si les poils sont très rapprochés.
- Le velours a un sens: les poils doivent le plus souvent remonter vers le haut. Choisissez le sens qui a le plus beau reflet. Les poils orientés vers le haut donneront une couleur plus foncée.
- Repassez votre vêtement en «sandwich», entre deux morceaux de velours, ou tirez les coutures au-dessus de la vapeur, ou encore repassez sur l'envers, l'endroit posé sur une planche à velours.

### *Velours côtelé* (CORDUROY)

Velours qui forme des rayures dans le sens de la longueur, il donne une allure plus sportive que le velours uni. On l'utilise beaucoup pour les vêtements d'enfants, les pantalons et les vestons d'automne, et aussi en décoration. Habituellement en coton résistant, les côtes saillantes sont offertes en plusieurs largeurs. C'est un tissu à sens, attention lors du taillage. Il peut rétrécir au lavage, il est donc préférable de le laver avant de le tailler.

### *Velvetine*

Velours plus fin et plus léger. Il y a également des velours de soie et des velours de laine.

## VÊTEMENTS D'ENFANTS

- Si votre enfant tache ou déchire un vêtement encore propre, cousez un écusson, une fleur ou un animal en appliqué pour camoufler cet accident.
- Transformez en jupon la robe devenue trop petite en lui enlevant les manches.
- Les t-shirts de l'été serviront de chaudes camisoles en hiver, ou de veste de pyjama.
- Évitez que les poignets de tricot ne s'étirent trop en passant un fil élastique fin dans les mailles, à l'intérieur des poignets.
- Posez des boutons à quatre trous au lieu de deux sur les vêtements d'enfants; le fil sera plus résistant.
- Les lacets de chaussure dureront plus longtemps si vous faites une couture à la machine en plein centre, dans le sens de la longueur.
- Pour allonger un pantalon d'enfant devenu trop court, ajoutez un revers contrastant, ou tricotez une bande de serrage au bas.
- Pour allonger une robe, ajoutez un volant.
- Pour raccourcir une robe, faites un ou plusieurs replis décoratifs ou cachés dans l'ourlet, qu'on peut défaire pour allonger à nouveau la robe.
- Voir *Élastique, Nids d'abeilles, Pantalon, Raccourcir, Rallongement, Rempli.*

## VICHY (OU GINGAM, GINGHAM)

Cotonnade à carreaux ou à rayures en général bicolore. Quand le fil est de bonne qualité, il peut servir à faire des robes d'été, des nappes ou des rideaux.

- Pour coudre le vichy, on utilise les deux couleurs de fils qui le composent; ainsi la couture sera moins visible.

## VIYELLA

Tissu d'origine anglaise, composé d'un mélange de 55 % de laine d'agneau et de 45 % de coton à fibres longues. Ce tissu est reconnu dans le monde entier, car il est léger, doux, confortable, facile à coudre et à entretenir, et il peut être lavé délicatement à la main ou à la machine. Choisissez du viyella pour vos vêtements classiques, unis, quadrillés ou imprimés.

## VOILE

Tissu ajouré, léger et fin, tissé simplement avec des fils peignés très torsés, ce qui lui donne un fini lisse.

## VOLANT (VOIR *FRONCES*)

Le volant est une bande d'étoffe décorative, taillée en cercle pour avoir plus d'ampleur ou froncée sur le droit fil. Les tissus légers sont les plus indiqués pour faire des volants. Plus ils seront légers et larges, plus ils devront être fournis.

- Comptez trois fois la largeur pour obtenir un volant très fourni et deux fois la largeur pour avoir des fronces modérées.
- Cousez le volant juxtaposé ou superposé sur une jupe.
- Il peut servir de finition au bord d'un col et aux poignets (cousu entre le dessus et le dessous).
- Les volants doublés ont deux bords finis ou ourlés et ils sont piqués sur la section de fronces.

- Pour réaliser le volant doublé, on double la hauteur du volant que l'on plie en deux. On pique ensuite deux rangées de points lâches et on plisse. Ce volant ne nécessite pas d'ourlet et tient bien.

## ZÉRO

Le Zéro est un produit pour laver à l'eau froide les tissus délicats, les lainages, les soies...
Il vous permet d'économiser sur les frais de nettoyage à sec.
Suivez les instructions sur l'étiquette du produit.

## ZIGZAG (POINT)

Piqûre en dents de scie faite à la machine et dont vous pouvez choisir la largeur et l'espacement. La plupart des machines font ce point qui est très utile pour surfiler, faire des coutures extensibles, poser des dentelles, des appliqués, des élastiques et faire des boutonnières, des fronces, des coutures décoratives... La largeur et la longueur du point dépendent du genre de travail exigé ou du tissu utilisé et, en général, il faut faire des points ni trop larges ni trop longs. Surveillez aussi la tension.

### *Pour surfiler en zigzag*

Ajustez la largeur du point à 4 mm et la longueur du point à 2 mm; la largeur dépend du genre de travail et du tissu utilisé. Placez le bord du tissu sous le milieu du pied-de-biche afin que l'aiguille pique alternativement dans le tissu et dans le vide.

*Pour la couture extensible*

Ajustez la largeur du point à 1 mm et la longueur du point à 1,5 mm. Cette couture remplace la piqûre droite dans les tricots et a l'avantage de s'étendre sans que le fil ne casse.

# RÉFÉRENCES

*Guide de la couture pratique et créative,* Montréal, Sélection du Reader's Digest (Canada) ltée, 1976, 526 p.

LEFRANÇOIS, Ghislaine, *L'ABC de la couture,* Ville d'Anjou, Mini-poche éclair, 98 p.

VAUTHIER, Marie-Thérèse, *Le guide Marabout de la couture facile,* Verniers (Belgique), Collection Marabout service, Les nouvelles Éditions Marabout, 1981, 220 p.

TRI-GRAPHIC